mot de passe...

Agatha Christie

Poirot joue le jeu

Traduction de Myriam Dou

DEUX
COQS
D'OR

Ce roman a paru sous le titre original :
Dead Man's Folly

Chapitre 1

1

Ce fut Miss Lemon, la compétente secrétaire d'Hercule Poirot, qui reçut l'appel téléphonique. Elle déposa son bloc de sténo, décrocha le récepteur et dit de son ton calme :

« Ici Trafalgar 8137. »

Poirot se renversa contre le dossier de sa chaise, ferma les yeux et tapota doucement le bord de la table tandis que son esprit continuait à composer les phrases courtoises de la lettre qu'il dictait.

Miss Lemon posa la main sur le récepteur et demanda à mi-voix :

« Voulez-vous prendre une communication personnelle qui vient de Nassecombe, dans le Devonshire ? »

Poirot fronça les sourcils : il ne connaissait pas cet endroit.

« Quel est le nom de la personne qui m'appelle ? » interrogea-t-il.

La secrétaire posa la question dans l'appareil, puis ajouta en hésitant :

« A comme aérien… R comme raid… Ah ! oui… Quel est le nom de famille ? »

Puis elle se tourna vers son patron et annonça :

« Mrs. Ariane Oliver. »

Les yeux de Poirot devinrent attentifs et une image se forma dans sa mémoire : des cheveux gris en désordre, un profil d'aigle... Il se leva, remplaça Miss Lemon au téléphone et annonça d'un ton pompeux :

« Hercule Poirot est à l'appareil !

— Est-ce bien Mr. Hercule *Porrot* ? »

L'employée paraissait en douter.

Il la rassura et elle reprit :

« Vous avez Mr. Porrot, demandeur ! »

Sa voix pointue fut remplacée par un sonore contralto et Poirot écarta un peu le récepteur de son oreille.

« Est-ce vraiment vous ?

— En personne, madame.

— Ici, Mrs. Oliver. Je ne sais si vous vous souvenez de moi ?

— On ne saurait vous oublier, madame !

— Pourtant, cela m'arrive assez souvent. Je ne dois pas avoir une personnalité très nette... à moins que les modifications que j'apporte sans cesse à ma coiffure n'en soient la cause. Mais là n'est pas la question. J'espère ne pas vous interrompre au milieu d'un travail important ?

— Vous ne me dérangez aucunement.

— Certes, je ne voudrais pas vous affoler. Seulement, *j'ai besoin de vous.*

— Besoin de moi ?

— Oui, tout de suite. Pouvez-vous prendre un avion ?

— Je n'en prends jamais. Cela me rend malade.

— Moi aussi. Du reste, je ne crois pas que vous gagneriez tellement de temps car il me semble que l'aéroport le plus rapproché d'ici est à Exeter, c'est-à-dire très loin. Prenez donc le train qui part de Paddington à midi et arrive directement à Nassecombe. Vous en avez la possibilité : trois quarts d'heure, si ma montre est exacte, quoiqu'elle le soit rarement.

— Mais où êtes-vous, madame ? Et de quoi s'agit-il ?

— Je suis à *Nasse House* dans Nassecombe. Une auto ou un taxi vous attendra à la gare.

— Pour quelle raison souhaitez-vous ma présence ? De quoi s'agit-il ? répéta Poirot vivement.

— Les téléphones sont toujours dans des endroits gênants, répondit Mrs. Oliver. Celui-ci est dans le vestibule. Des gens vont, viennent et bavardent... J'entends très mal. Mais je vous attends... Tout le monde sera enthousiasmé... Au revoir ! »

Poirot l'entendit raccrocher et l'imita d'un air stupéfait, en marmottant quelques mots. Miss Lemon, indifférente, attendait, le crayon levé. Elle répéta la dernière phrase qui lui avait été dictée avant le coup de téléphone :

« ...Permettez-moi, cher monsieur, de vous affirmer que votre hypothèse... »

Poirot lui coupa la parole d'un geste péremptoire et déclara :

« Mrs. Oliver était au bout du fil. Ariane Oliver, l'auteur de romans policiers. Vous avez peut-être lu... »

Il s'interrompit car il se souvint que sa secrétaire ne lisait que des ouvrages sérieux et méprisait la littérature policière. Il enchaîna :

« Elle désire que je parte tout de suite pour le Devonshire... dans trente-cinq minutes », acheva-t-il, après avoir regardé la pendule.

Miss Lemon parut choquée.

« Vous aurez à peine le temps ! Pour quelle raison vous convoque-t-elle ?

— Je l'ignore. Elle ne me l'a pas dit !

— C'est étrange ! Pourquoi ce mutisme ?

— Parce qu'il est évident qu'elle redoutait d'être entendue.

— Les gens sont vraiment extraordinaires ! s'écria Miss Lemon dans son désir de ménager son patron. Dire qu'on s'imagine que vous allez vous précipiter dans une aventure aussi ridicule ! Un personnage aussi important que vous ! J'ai toujours remarqué que les artistes et les romanciers n'ont aucun bon sens ! Voulez-vous que je téléphone un télégramme : *Regrette ne pas pouvoir quitter Londres* ? »

Elle tendait la main vers l'appareil mais la voix de Poirot arrêta son geste.

« Du tout. Au contraire, ayez l'obligeance de faire venir un taxi immédiatement. »

Puis, il appela :

« Georges ! Mettez les objets de toilette indispensables dans ma petite valise et vite, vite ! J'ai un train à prendre. »

2

Le train, ayant fait à toute vitesse les trois-quarts de son trajet, ralentit pendant le dernier quart et s'arrêta en gare de Nassecombe. Hercule Poirot fut seul à descendre. Il franchit avec précaution la distance qui séparait la marche du compartiment de la plate-forme et regarda autour de lui. Un unique porteur s'affairait dans le fourgon aux bagages. Voyant cela, Poirot saisit sa valise et se dirigea vers la sortie. Après avoir remis son billet à l'employé, il quitta la gare.

Une grande limousine était arrêtée dans la cour; un chauffeur en livrée avança et demanda respectueusement :

« Mr. Hercule Poirot ? »

Puis, ayant débarrassé le voyageur de sa valise, il ouvrit la portière. En sortant de la gare, l'auto passa sur le pont du chemin de fer et tourna dans un chemin de campagne qui s'allongeait entre des haies fort élevées. Mais, bientôt, celle de droite s'abaissa, ce qui permettait de voir un magnifique paysage : une rivière au premier plan et des collines estompées par une brume bleue dans le fond. Le chauffeur s'arrêta et annonça :

« La rivière est nommée Helm et l'on aperçoit Darmoor au loin. »

Comprenant qu'il lui fallait se montrer enthousiaste, Poirot répéta plusieurs fois : « C'est superbe ! »

En réalité, la nature le laissait toujours assez froid. Un jardin potager bien entretenu eût excité son admiration beaucoup plus sûrement. Deux jeunes filles, qui gravissaient la colline avec peine, passèrent près de la voiture. Elles étaient chargées de lourds sacs à dos, vêtues de shorts et des écharpes aux couleurs vives leur entouraient la tête.

« Il y a une Auberge de Jeunesse aux environs, expliqua le chauffeur qui voulait décidément servir de guide touristique à Poirot. Elle est installée à Hoodown Park qui appartenait autrefois à Mr. Fletcher.

« L'Association de ces Auberges de Jeunesse a acheté la propriété et pendant l'été elle est bondée. On y héberge cent personnes par jour, mais elles ne peuvent y rester plus de deux nuits. Il y a des touristes des deux sexes, étrangers en majorité. »

Poirot fit un signe vague. Il pensait – une fois de plus – que les shorts, vus de dos, sont rarement seyants aux formes féminines. Pourquoi les jeunes filles modernes ont-elles la rage de se travestir ainsi ? Il murmura :

« Ces personnes paraissent porter de bien encombrants paquets.

— Oui, monsieur, et il y a une trotte depuis la gare ou depuis l'arrêt de l'autocar, au moins cinq kilomètres jusqu'à Hoodown Park... »

Le chauffeur hésita puis ajouta :

« Si vous n'y voyez pas d'inconvénient, nous pourrions les faire monter dans la voiture ?

— Certainement, certainement », répondit Poirot aimablement.

Le chauffeur remit l'auto en marche et s'arrêta à la hauteur des deux jeunes filles qui levèrent dans sa direction leurs visages cramoisis et ruisselants de sueur. Poirot ouvrit la portière et elles se hâtèrent de grimper dans la voiture.

« Vous, très bon être », déclara l'une des voyageuses qui était blonde et avait un fort accent étranger. « La route plus longue que moi croire. »

L'autre avait une figure hâlée et des boucles brunes sortaient de dessous son fichu rouge ; elle se contenta d'acquiescer d'un signe, de montrer des dents étincelantes et de murmurer : « Grazia. »

La blonde continua de parler :

« Moi en Angleterre venir pour deux semaines vacances. Moi arriver de Hollande et beaucoup l'Angleterre aimer. Déjà Stratford-sur-Avon visité avec théâtre Shakespeare et le château Warwick. Après, été Clovelly, la cathédrale d'Exeter et Torquay, très joli. Maintenant, moi voir ici fameux panorama ; demain rivière traverser et Plymouth aller d'où Nouveau Monde découvert.

— Et vous, signorina ? » interrogea Poirot en s'adressant à l'autre jeune fille.

Elle se contenta de sourire et de secouer ses boucles.

« Elle pas beaucoup anglais parler, expliqua gentiment la Hollandaise. Un peu toutes les deux aussi causé dans train. Elle venir de Milan et avoir parente en Angleterre, mariée avec un monsieur qui beaucoup épicerie vendre. Venue hier avec une amie jusqu'à Exeter, mais amie mangé pâté veau-jambon pas bon et restée dans la ville. Pâté veau-jambon mauvais quand chaud est le temps ! »

Le chauffeur ralentit car la route se divisait en deux tronçons. Les jeunes filles descendirent, remercièrent en langues différentes et s'engagèrent sur le chemin de gauche. Le conducteur dit d'un air convaincu :

« C'est pas seulement le veau et le jambon. Faut aussi se méfier des autres pâtés ! En période de vacances, les fabricants y mettent n'importe quoi ! »

Il démarra et prit la route de droite qui ne tarda pas à pénétrer sous bois. Il conclut son exposé concernant les clients de l'Auberge de Jeunesse :

« Y a de gentilles petites, mais on n'arrive guère à leur faire comprendre qu'on ne doit pas entrer dans une propriété privée ! Elles le font tout le temps, traversant nos bois et font semblant de ne pas comprendre ce qu'on leur dit ! »

Il secoua la tête d'un air sombre.

L'auto descendit une pente assez raide, franchit de hautes grilles en fer forgé, s'engagea dans une avenue et finit par s'arrêter devant une grande maison blanche qui dominait la rivière. Le chauffeur ouvrit la portière au moment où un grand maître d'hôtel très brun se montrait sur le perron. Le domestique demanda :

« Mr. Hercule Poirot ?

— Oui.

— Mrs. Oliver attend monsieur au bord de l'eau. Que monsieur me permette de l'y conduire. »

Il précéda le visiteur sur un sentier en lacets qui longeait le bois et d'où l'on apercevait la rivière. Au bas de la pente, on atteignait un espace découvert de forme ronde, entouré d'un parapet bas à créneaux. Mrs. Oliver y était assise.

Elle se leva pour accueillir Poirot; plusieurs pommes tombèrent de ses genoux et roulèrent dans toutes les directions.

« Je ne sais vraiment pas pourquoi je laisse toujours échapper ce que je tiens, dit-elle d'une voix assez embarrassée, car sa bouche était pleine de fruit. Comment vous portez-vous ?

— Très bien, chère madame. Et vous ? »

La romancière parut un peu différente à Poirot qui comprit pourquoi : ainsi qu'elle y avait fait allusion au téléphone, elle avait encore changé de coiffure. La dernière fois que le criminologiste l'avait vue, elle portait les cheveux en « coup de vent ». Aujourd'hui, ils étaient d'un beau bleu d'outremer et formaient un échafaudage de petites bouclettes dans le style « marquise ». Mais ledit style s'arrêtait sur le cou, car la suite de la tenue s'apparentait au genre « toilette pratique de campagne ». Mrs. Oliver portait un costume de tweed couleur jaune d'œuf brillant et un pull-over de ton moutarde.

« Je savais que vous viendriez, affirma-t-elle gaiement.

— Ce n'est pas possible, répliqua Poirot d'un air sévère.

— Oh ! si !

— Pourtant, je me demande encore la raison qui m'a amené ?

— Je la connais : la curiosité ! »

Il regarda son interlocutrice et une lueur s'alluma dans ses yeux tandis qu'il répondait :

« Votre fameuse intuition féminine ne vous a, pour une fois, peut-être pas trompée.

— Ne vous en moquez pas ! N'ai-je pas toujours deviné qui était le coupable ? »

Poirot garda un silence plein de délicatesse car il eût pu répondre : « Peut-être après avoir essayé cinq fois et même alors... »

Mais il se contenta de regarder autour de lui et de changer de sujet en disant :

« Vous avez une magnifique propriété.

— Celle-ci ? Elle ne m'appartient pas ! Supposiez-vous le contraire ? Pas du tout ! Ses propriétaires se nomment Stubbs.

— Quels sont ces gens ?

— Oh ! rien d'extraordinaire mais très riches. Je suis ici pour remplir une mission.

— Ah ! vous vous pénétrez de la couleur locale pour votre futur chef-d'œuvre ?

— Pas du tout. J'ai été chargée de préparer un crime. »

Poirot la dévisagea avec stupeur et Mrs. Oliver reprit d'un ton rassurant :

« Oh ! pas un vrai. On donne une grande kermesse ici demain et, comme nouveauté, on a pensé à une course à l'assassin. C'est moi qui en ai fait le scénario. Une espèce de course au trésor. Seulement, cette idée a été exploitée si souvent qu'on a voulu changer. Alors, on m'a offert une somme intéressante pour venir tout organiser. C'est assez amusant et cela sort de la banalité.

— Comment l'affaire se présente-t-elle ?

— Bien entendu, il y aura une victime, des indices et des suspects. Le tout sera assez classique : la vamp, le maître chanteur, les jeunes amoureux, le sinistre maître d'hôtel, etc. On paiera une demi-couronne pour participer aux recherches et les concurrents seront mis au fait du premier indice… après quoi, il leur faudra trouver la victime, l'arme du crime, l'assassin et le motif… Il y aura des prix.

— Remarquable ! déclara Poirot.

— En réalité, dit tristement Mrs. Oliver, c'est beaucoup plus difficile à combiner qu'on ne croit. Il faut tenir compte de l'intelligence des gens tandis que dans mes livres ils peuvent être stupides !

— Et c'est afin que je vous aide à organiser ce jeu que vous m'avez appelé ? »

Poirot ne cherchait guère à dissimuler sa vexation.

« Oh ! non, bien sûr ! J'ai pensé à tout et rien ne manque. J'avais une raison très différente de vous faire venir.

— Quelle raison ? »

La romancière porta la main à sa tête et elle allait ébouriffer ses cheveux d'un geste familier lorsqu'elle se souvint que sa coiffure compliquée ne le lui permettait pas. Elle se contenta de tirer les lobes de ses oreilles dans l'espoir de calmer ses nerfs. Elle reprit :

« Je suis peut-être sotte ; mais je crois qu'il se passe quelque chose de mal… »

Chapitre 2

Il y eut un silence pendant lequel Poirot dévisagea son interlocutrice avant d'interroger vivement :

« Quelque chose de mal ? comment cela ?

— Je ne sais et c'est ce que je souhaite vous voir trouver. Mais j'ai senti de plus en plus fortement que j'étais trompée... qu'on se jouait de moi. Traitez-moi de folle si vous voulez... cependant, si un véritable crime était commis demain, je n'en serais pas surprise ! »

Comme Poirot continuait à la regarder, Mrs. Oliver le contempla d'un air de défi. Il dit enfin :

« Fort intéressant...

— Je suppose que vous me considérez comme une imbécile ?

— Telle n'a jamais été ma pensée.

— De plus, je n'ignore pas que vous dédaignez l'intuition.

— On donne souvent des noms différents aux mêmes choses, répondit Poirot. Je crois volontiers que vous avez remarqué un détail ou entendu une phrase qui vous ont inquiétée. Je pense également que vous ne savez pas au juste ce que c'était et que vous éprouvez un malaise. Si je puis m'exprimer ainsi, vous n'avez pas compris ce que vous compreniez ! Et vous pouvez traiter cela d'intuition.

— On se sent tellement bête, déclara-t-elle tristement, quand on est dans l'impossibilité de se montrer précise.

— Nous y arriverons ! Voyons, vous dites avoir eu l'impression qu'on se jouait de vous ? Sauriez-vous entrer dans les détails ?

— Mon Dieu, c'est difficile... Vous comprenez ce crime est à moi ! Je l'ai créé, combiné et tout s'ajuste exactement. Or, si vous connaissez tant soit peu la mentalité du romancier, vous devez savoir qu'il a horreur des conseils. Les gens ont tendance à s'écrier : « C'est ma-« gnifique... mais ne serait-ce pas mieux si tels et tels « personnages agissaient de telles et de telles façons ? » Ou encore : « Ne croyez-vous pas que ce serait mer-« veilleux si la victime était A, au lieu de B... ? Et si « l'assassin se trouvait être D... et non E... ? » On a envie de leur répondre : « Très bien. Ecrivez donc le scé-« nario à ma place ! »

Poirot acquiesça d'un signe.

« Les choses se sont-elles présentées ainsi ?

— Pas tout à fait. On m'a proposé des idées stupides, je me suis fâchée et l'on a cédé tout en me suggérant un changement insignifiant que j'ai accepté, sans y réfléchir, parce que j'avais obtenu gain de cause pour le reste.

— Je comprends. Oui, le procédé est adroit : on suggère une modification ridicule pour détourner l'attention d'un détail qui, seul, est important. C'est bien cela ?

— Absolument. Certes, je suis peut-être la proie de mon imagination, mais je ne le crois pas et cela me tourmente... Il y a également une sorte d'atmosphère étrange.

— Qui vous a proposé ces changements ?

— Plusieurs personnes. S'il n'y en avait qu'une, je serais plus sûre de mon fait, mais ce n'est pas le cas, en apparence tout au moins. Car je suis convaincue qu'une seule influence a fait agir des innocents.

— Savez-vous de qui il s'agit ? »

Mrs. Oliver secoua négativement la tête.

« De quelqu'un qui est très prudent et très rusé... mais je ne puis le désigner nettement.

— Voyons, demanda Poirot, quels sont les suspects possibles ? Il ne doit pas y en avoir des quantités !

— Je vais vous énumérer les habitants de la maison et leurs intimes : d'abord, Sir George Stubbs le propriétaire ; riche, pas distingué, à mon avis, complètement idiot en dehors de ses affaires d'intérêt, mais très malin quand il s'agit d'argent. Puis Lady Stubbs qui se prénomme Hattie, a environ vingt ans de moins que son mari ; elle est très jolie, mais bête comme un pot, je la crois même à moitié idiote. Elle a épousé Stubbs pour sa fortune et ne s'intéresse qu'à ses toilettes et à ses bijoux. Vient ensuite Michaël Weyman ; il est architecte, encore jeune et assez beau garçon, dans le genre excentrique. Il établit les plans d'un pavillon pour les joueurs de tennis et fait réparer *La Folie*.

— *La Folie* ? Quelle *Folie* ?

— Vous savez bien, un de ces pseudo-temples, en pierres blanches, orné de colonnes ! Puis il y a Miss Brewis qui est à la fois secrétaire et intendante, car elle dirige la maison et fait la correspondance. Très compétente et sévère. Ensuite, nous trouvons les voisins : d'abord, un jeune ménage, Alex et Peggy Legge.

Ils ont loué un cottage au bord de la rivière. Puis, le capitaine Warburton qui est le régisseur des propriétés Masterton. Les Masterton font partie du groupe, bien entendu, ainsi que la vieille Mrs. Folliat qui habite l'ancien pavillon du concierge de la propriété. Celle-ci appartenait autrefois à sa famille qui s'est éteinte. Ses fils ont été tués au cours des guerres et elle a dû vendre. »

Poirot ne pouvait se faire une opinion sur tous ces gens dont il ne connaissait encore que les noms. Il en revint au début de l'affaire et demanda :

« Qui a proposé cette chasse à l'assassin ?

— Mrs. Masterton, je crois. C'est la femme du député de la circonscription et elle a l'habitude d'organiser des fêtes. C'est elle qui a obtenu de Sir George la permission d'installer la kermesse dans son jardin. La propriété est restée inhabitée si longtemps que Mrs. Masterton a pensé que les habitants des environs seraient ravis de la revoir et paieraient volontiers un droit d'entrée.

— Tout cela me paraît normal, fit observer Poirot.

— A première vue, mais il n'en est rien. Je vous affirme qu'il se trame une mauvaise action.

— Comment avez-vous expliqué mon arrivée et l'appel que vous m'avez adressé ?

— Très facilement : vous devez remettre aux gagnants les prix de la course au meurtre. Tout le monde s'est enthousiasmé quand j'ai dit que je vous connaissais et que j'espérais vous persuader qu'il fallait venir. J'ai ajouté que votre nom attirerait le public... Ce qui est certain, conclut Mrs. Oliver avec tact.

— Et votre proposition a été acceptée sans réserve ?

— Je vous répète que chacun s'est montré ravi. »

Elle jugea inutile de dire que les plus jeunes avaient demandé : « Qui est Hercule Poirot ? »

« Personne n'a élevé d'objection ? »

La romancière fit un signe de dénégation.

« C'est dommage, déclara Poirot.

— Vous pensez que le contraire nous eût fourni un indice ?

— Un futur assassin ne pouvait se réjouir de ma présence.

— Décidément, vous devez croire que mon imagination me joue des tours, murmura Mrs. Oliver avec mélancolie. Je reconnais qu'avant de vous parler, je ne m'étais pas rendu compte combien mes soupçons manquent de base.

— Calmez-vous, dit le criminologiste avec bonté. La situation m'intrigue et m'intéresse. Que dois-je faire ? »

Mrs. Oliver regarda sa montre.

« Le thé va être servi. Rentrons dans la maison, ce qui vous permettra de faire la connaissance de tous ceux que je vous ai décrits. »

Elle prit un sentier différent de celui par lequel Poirot était venu la rejoindre et qui paraissait conduire dans une direction opposée. Mrs. Oliver déclara :

« Nous passerons près du hangar à bateaux. »

La construction parut avant qu'elle n'ait achevé sa phrase. Couverte de chaume, elle était pittoresque et surplombait la rivière.

« C'est ici qu'on trouvera le corps, expliqua la romancière.

— Quelle sera la victime ?

— Oh ! une jeune touriste qui est la première femme d'un jeune savant yougoslave. »

Poirot cligna les paupières et Mrs. Oliver continua :

« On pourrait croire que le savant l'a tuée… mais, bien entendu, ce n'est pas aussi simple que cela.

— Evidemment, puisque vous êtes l'auteur du scénario. »

La femme de lettres parut sensible au compliment et ajouta :

« En réalité, c'est le châtelain qui la tue… pour une raison assez originale. Je ne pense pas que beaucoup de concurrents la trouveront, bien que le cinquième indice doive les mettre sur la voie. »

Poirot s'écarta des subtilités du plan de sa vieille amie et posa une question d'ordre pratique :

« Comment vous procurez-vous un cadavre approprié ?

— Nous prenons une jeune éclaireuse. Peggy Legge devait jouer le rôle, mais on l'a chargée de dire la bonne aventure, travestie en Orientale. Alors, nous avons choisi une certaine Marlène Tucker, qui est assez sotte et ne cesse de renifler, mais son rôle sera facile : drapée dans des châles de paysanne et portant un sac à dos, elle n'aura qu'à s'étendre sur le plancher si elle entend venir quelqu'un et à enrouler une corde autour de son cou. La pauvre gosse ne s'amusera guère, mais j'ai préparé un bon paquet de journaux illustrés qui la distrairont ; une phrase de nature à faire identifier le meurtrier sera écrite sur l'un de ces journaux, de sorte que tout cadrera.

— Votre ingéniosité me confond ! Vous n'oubliez rien !

— Imaginer les détails n'est pas difficile. Malheureusement, on en invente trop, cela complique la situation et il faut faire un triage pénible. Nous gravissons cette pente à présent. »

Ils empruntèrent en effet un sentier escarpé qui grimpait en zigzag et les ramena au-dessus de la rivière. Un espace ménagé entre les arbres les conduisit vers une clairière que dominait une sorte de temple blanc, soutenu par des piliers. Un jeune homme vêtu d'un pantalon de flanelle usagé et d'une chemise d'un vert cru, examinait la construction en fronçant les sourcils. Il se tourna vers les promeneurs et Mrs. Oliver fit les présentations :

« Mr. Michaël Weyman... Mr. Hercule Poirot. »

Le premier se contenta d'incliner légèrement la tête et s'écria d'un ton plein d'amertume :

« Les gens ont des idées inouïes quant aux emplacements ! Ici, par exemple. Ce petit temple a été construit il y a un an à peu près ; il est réussi dans son genre et tout à fait en rapport avec le style de la maison. Mais pourquoi l'avoir mis ici ? Ce genre de pavillon doit être installé « sur une éminence » d'après les descriptions et entouré d'une pelouse fleurie... Et voilà celui-ci au milieu des arbres ! On ne le voit de nulle part et il faudrait abattre au moins vingt arbres pour qu'on l'aperçoive de la rivière.

— Peut-être n'y avait-il pas d'autre endroit où le construire ? » fit observer Mrs. Oliver.

L'architecte ricana.

« Le sommet de la pelouse en terrasse qui est près de la maison eût été parfait. Mais ces hommes d'affaires n'ont aucun sens artistique. Celui-là voulait une *Folie*, comme il l'appelle. Il en a commandé une, a regardé où il pouvait l'ériger. Puis, il paraît qu'un grand chêne a été renversé par la tempête et a laissé une crevasse. Alors, cet idiot s'est écrié : « Nous allons arranger ça « en y construisant une *Folie*! » Ce qui m'étonne, c'est qu'il n'ait pas entouré la maison de géraniums rouges ! Un béotien pareil ne devrait pas être propriétaire d'un aussi bel endroit ! »

Le jeune homme paraissait furieux et Poirot pensa qu'il n'aimait guère Sir George Stubbs. Weyman reprit :

« Le temple est posé sur du béton armé ; seulement, il y a de la terre molle en dessous et elle s'affaisse ; il y a même des fentes dans la maçonnerie et cela deviendra inquiétant. On ferait mieux de tout démolir et de reconstruire sur la terrasse. Mais ce vieil entêté ne veut pas en entendre parler !

— Qu'allez-vous faire pour le pavillon de tennis ? » interrogea Mrs. Oliver.

L'architecte parut de plus en plus navré et grommela :

« Il veut une pagode chinoise ornée de dragons ! Simplement parce que Lady Stubbs trouve que les grands chapeaux de paille exotiques lui vont ! Ma profession est décevante ! Ceux qui ont du goût n'ont pas assez d'argent pour faire construire et les crésus veulent qu'on leur bâtisse des horreurs !

— Je vous offre toute ma sympathie, répondit Poirot d'un air grave.

— Ce George Stubbs se croit un personnage, ajouta Weyman méprisant. Pendant la guerre, il s'est embusqué dans un bureau de l'amirauté, au fin fond du pays de Galles, puis il a fait pousser sa barbe afin de se donner l'aspect d'un loup de mer ! Il est dégoûtamment riche !

— Vous autres architectes êtes bien obligés de trouver des capitalistes, sans quoi, vous n'auriez jamais de travail », déclara Mrs. Oliver, non sans logique.

Puis, elle se remit en marche, suivie de Poirot et de Weyman. Celui-ci reprit :

« Ces nouveaux riches ne comprennent pas les choses les plus simples. Si les fondations sont abîmées, tout pourrit.

— Voilà une parole profonde », répondit Poirot.

Le sentier qu'ils longeaient émergea du bois et la maison se montra ; adossée à d'autres arbres sombres, elle offrait une belle vision blanche.

« Elle est vraiment harmonieuse, murmura Poirot.

— Pourtant, déclara l'architecte avec aigreur, il veut y adjoindre une aile pour en faire une salle de billard ! »

Une vieille dame mince, de petite taille, était occupée à tailler des arbustes au bas de la pelouse. Elle vint à la rencontre du groupe en haletant un peu sur la pente.

« Tout a été négligé ici depuis plusieurs années, déclara-t-elle. Et, de nos jours, il est très difficile de trouver un jardinier qui connaisse son métier. Cette colline devrait être rutilante en mars et en avril, tandis qu'il n'en est rien, car toutes les branches mortes auraient dû être coupées en automne…

— Mr. Hercule Poirot, Mrs. Folliat », dit Mrs. Oliver.

La vieille dame sourit aimablement.

« Oh ! le célèbre Mr. Poirot ? Comme c'est gentil de venir nous aider demain ! Cette romancière si intelligente a eu une idée étonnante et tellement nouvelle ! »

Poirot éprouva quelque étonnement devant l'affabilité de l'inconnue, qui se comportait comme si elle avait été chez elle. Il répondit avec courtoisie :

« Mrs. Oliver est une de mes vieilles amies et j'ai été ravi d'accéder à sa requête. Quel beau paysage et quel noble manoir ! »

Mrs. Folliat acquiesça d'un signe.

« C'est vrai. La maison a été construite par l'arrière-grand-père de mon mari, en 1790. Autrefois, elle était de style élizabéthain, mais elle tombait en ruine et a été brûlée en 1700. Notre famille habite ici depuis 1598. »

Elle parlait avec un calme qui attira l'attention de Poirot. Vêtue d'un vieux costume de tweed, ses cheveux gris étaient serrés dans un filet et, seuls ses yeux d'un bleu faïence offraient quelque intérêt. Cependant, en dépit de son peu d'élégance, elle donnait l'impression d'être très distinguée.

Tandis qu'ils se dirigeaient vers la maison, Poirot lui adressa la parole en hésitant un peu :

« Il doit vous être pénible de voir cette propriété occupée par des étrangers… »

Mrs. Folliat ne répondit pas immédiatement, mais sa voix était claire et dépourvue de toute émotion lorsqu'elle dit :

« Il y a tant de choses pénibles en ce monde, monsieur ! »

Chapitre 3

Ce fut la vieille dame qui entra la première dans la maison pour montrer le chemin à Poirot. Elle franchit une porte à gauche, traversa un élégant petit salon et passa dans la grande pièce de réception, pleine d'invités, qui parlaient tous à la fois.

« George, annonça Mrs. Folliat, voici Mr. Poirot qui a la bonté de venir nous prêter son concours. Sir George Stubbs. »

Celui-ci, qui avait le verbe haut, se retourna.

C'était un homme robuste, de taille élevée, au visage assez coloré, orné d'une barbe bizarre qui lui donnait l'aspect d'un acteur au rôle encore mal défini. On se demandait s'il voulait jouer celui du gentilhomme campagnard ou représenter un « diamant brut » australien. En tout cas, malgré l'opinion de Michaël Weyman, il n'avait pas l'air d'un marin. Ses façons et sa voix étaient joviales, mais ses petits yeux bleus, d'un bleu très brillant, reflétaient la sagacité. Il accueillit fort aimablement Poirot.

« Nous sommes enchantés que votre amie, Mrs. Oliver, ait pu vous persuader d'accepter de venir. Elle a eu une idée géniale et votre présence constituera une grosse attraction… »

Il regarda autour de lui et appela : « Hattie ! » Puis il répéta d'un ton plus sec : « Hattie ! »

Lady Stubbs était à moitié allongée dans un grand fauteuil, à quelque distance des autres personnes et paraissait n'accorder aucune attention à ce qui se passait autour d'elle. Elle souriait à une de ses mains posée sur le bras de son siège et la tournait de gauche à droite, afin que la grosse émeraude d'une de ses bagues captât la lumière. Elle leva les yeux d'un air un peu effrayé et dit :

« Comment vous portez-vous, monsieur ? »

Poirot se pencha sur la main de la jeune femme et Sir George continua les présentations :

« Mrs. Masterton. »

Celle-ci était immense et Poirot trouva qu'elle ressemblait à un limier. Elle avait une forte mâchoire pendante et de grands yeux tristes, injectés de sang. Elle s'inclina et reprit le fil de son discours d'une voix sonore qui rappelait l'aboiement d'un chien.

« Il faut mettre fin à cette stupide querelle au sujet de la tente où l'on servira les rafraîchissements, déclara-t-elle avec énergie. Vous comprenez, Jim, ces femmes doivent entendre raison. Nous ne pouvons pas risquer de tout voir rater à cause de ces lamentables rivalités de clocher.

— Certainement », répondit celui auquel elle s'adressait et que Sir George présenta à Poirot :

« Capitaine Warburton. »

Vêtu d'un complet de sport en tweed à grands carreaux, le capitaine Warburton avait l'aspect d'un homme de cheval. Il exhiba deux rangées de larges dents blanches pour sourire au nouveau venu et reprit sa conversation avec Mrs. Masterton :

« Ne vous inquiétez pas, j'arrangerai cela et leur parlerai à la manière d'un brave oncle. Que décidez-vous pour la tente de la voyante ? La dressera-t-on devant le magnolia ou à l'extrémité de la pelouse, près des rhododendrons ? »

Sir George continuait ses présentations :

« Mr. et Mrs. Legge. »

Un homme jeune, très grand, dont le visage pelait fortement par suite de coups de soleil, sourit aimablement. Sa femme, une jolie rousse, inclina gracieusement la tête et entama une discussion avec Mrs. Masterton ; sa voix claire contrastait avec les notes graves de son interlocutrice.

« Pas près du magnolia...

— Il faut disséminer les attractions... mais s'il y a une queue...

— Il y fera bien plus frais... car si le soleil donne sur la maison...

— Le jeu des noix de coco ne peut être installé très près de la maison car les gamins sont brutaux quand ils visent...

— Voici Miss Brewis qui nous dirige tous », déclara Sir George.

Elle était assise derrière le grand service à thé en argent. C'était une femme d'environ quarante ans, à l'air énergique, à l'allure vive et aimable.

« Comment vous portez-vous, monsieur ? dit-elle. J'espère que votre voyage n'a pas été désagréable. Les trains sont tellement pleins à cette époque de l'année ! Permettez-moi de vous donner une tasse de thé... Lait ? Sucre ?

— Très peu de lait, mademoiselle, et quatre morceaux de sucre… »

Tandis que Miss Brewis le servait, Poirot ajouta :

« Je vois que vous êtes tous fort occupés.

— Je crois bien. Il y a toujours des détails de la dernière heure à régler. Et les fournisseurs vous laissent tomber sans prévenir, de nos jours ! Notamment pour les tentes, les marquises, les chaises et l'aménagement du buffet. Il faut les harceler sans cesse et j'ai dû téléphoner presque toute la matinée.

— Avez-vous pensé aux patères, Amanda ? Et aux marques supplémentaires pour le golf ?

— Tout est arrangé, Sir George. Mr. Benson du club de golf, a été tout à fait complaisant. »

Elle tendit sa tasse à Poirot et reprit :

« Voulez-vous un sandwich ? Ceux-ci sont à la tomate et ceux-là au pâté… Mais peut-être, ajouta-t-elle en se rappelant les quatre morceaux de sucre, préférez-vous un gâteau à la crème ? »

Poirot fut de cet avis et prit un chou très baveux. Puis, l'installant avec précaution sur sa soucoupe, il alla s'asseoir à côté de Lady Stubbs. Elle jouait toujours à faire miroiter sa bague et leva les yeux d'un air puéril.

« C'est joli, n'est-ce pas ? » dit-elle.

Poirot l'avait regardée de près. Elle était coiffée d'une grande capeline exotique violet qui se reflétait sur son teint pâle. Son maquillage lui donnait l'air d'une Indochinoise : ses joues étaient trop mates, ses lèvres trop rouges, ses cils et ses sourcils trop noirs. Ses cheveux noirs et lisses paraissaient aussi enserrés qu'une calotte de velours.

Ce n'était pas une fille d'Albion, mais une créole, assez peu en harmonie avec ce salon britannique. Poirot était surtout frappé par son regard enfantin, presque vide. Il lui répondit comme il l'eût fait en s'adressant à une petite fille :

« Cette bague est ravissante. »

Elle parut enchantée et murmura d'un ton de confidence :

« George me l'a donnée hier. Il me fait beaucoup de cadeaux. Il est gentil. »

Poirot regarda de nouveau le bijou et la main aux ongles fort longs, au vernis presque brun. Une citation lui vint à l'esprit : « Ils ne travaillent, ni ne filent... » Car il était évident que Lady Stubbs ne se livrait à aucun labeur. Pourtant, il ne songeait pas à la comparer au lis des champs. Elle était bien trop artificielle.

« Cette pièce est superbe, madame, déclara-t-il en regardant autour de lui.

— Sans doute... » répondit-elle d'un air absent.

Son attention était toujours centrée sur l'émeraude dont elle regardait les jeux de lumière. Elle ajouta tout bas :

« La voyez-vous ? Elle cligne de l'œil ! »

Puis elle éclata d'un rire brusque et nerveux qui stupéfia son interlocuteur.

Sir George, qui était de l'autre côté du salon, dit vivement : « Hattie ! » Son intonation était bienveillante, mais contenait une sorte de mise en garde et sa femme cessa aussitôt de rire. Poirot déclara comme s'il s'agissait d'une conversation banale :

« Le Devonshire est un très joli comté. Ne trouvez-vous pas ?

— Oui, dans la journée, quand il ne pleut pas, répondit tristement la jeune femme. Mais il n'y a pas de night-clubs.

— En effet. Vous les aimez ?

— Oh ! oui, dit-elle avec conviction.

— Pourquoi vous plaisent-ils autant ?

— Il y a de la musique, on danse, je mets de jolies robes, mes bagues, mes bracelets. Toutes les autres femmes ont de belles toilettes et des bijoux, mais pas aussi beaux que les miens. »

Elle sourit d'un air d'intense fierté et Poirot éprouva une certaine pitié pour elle. Il posa une nouvelle question :

« Tout cela vous amuse beaucoup ?

— Oui. J'aime bien les casinos aussi. Pourquoi n'y en a-t-il pas en Angleterre ?

— Je me le suis souvent demandé, mais je crois qu'ils seraient incompatibles avec le caractère anglo-saxon. »

Lady Stubbs le regarda sans comprendre, puis se pencha un peu vers lui et murmura :

« J'ai gagné soixante mille francs, un jour, à Monte-Carlo. J'avais misé sur le numéro 37 et il est sorti !

— Ce devait être passionnant, madame !

— Ah ! oui, George me donne de l'argent pour jouer, mais je le perds d'habitude... »

Elle paraissait navrée.

« C'est malheureux !

— Oh ! cela n'a pas grande importance. Il est très riche. C'est agréable d'être riche, n'est-ce pas ?

— Très agréable, affirma Poirot.

— Peut-être que si je n'étais pas riche, je ressemblerais à Amanda. »

Son regard se posa sur Miss Brewis et elle ajouta :

« Ne trouvez-vous pas qu'elle est très laide ? »

Ladite Amanda leva la tête au même instant et la tourna vers les deux interlocuteurs. Lady Stubbs n'avait pas parlé très haut, mais Poirot se demanda si Miss Brewis n'avait rien entendu.

Ses yeux croisèrent ceux du capitaine Warburton où il lut une ironie malicieuse et il se hâta de changer de sujet.

« Avez-vous été très occupée pour préparer la kermesse ? »

Hattie secoua négativement la tête.

« Oh ! non. Je trouve tout cela fatigant et stupide. Nous avons des domestiques et des jardiniers. Pourquoi ne pas les en charger ?

— Ma chère enfant, déclara Mrs. Folliat qui venait de s'asseoir sur un proche canapé, vous avez été élevée avec ce genre d'idées dans les domaines de votre île natale. Mais, actuellement, en Angleterre, l'existence n'est plus la même. Je le regrette, ajouta-t-elle en soupirant. De nos jours, il faut à peu près tout faire soi-même. »

La jeune femme haussa les épaules.

« C'est ridicule. A quoi bon être riche s'il faut se servir ? »

Mrs. Folliat la regarda en souriant.

« Quelques personnes trouvent que c'est amusant... moi, par exemple. Pas tout, évidemment ; mais j'aime jardiner et préparer une fête comme celle qui se déroulera demain.

— Est-ce qu'elle ressemblera à une réunion mondaine ? interrogea Hattie avec intérêt.

— Exactement, mais avec des masses d'invités.

— Comme à Ascot où l'on porte de grands chapeaux et où chacun est très chic ?

— Pas tout à fait comme aux courses… Vous devriez essayer de goûter la vie à la campagne, Hattie, et vous auriez dû nous aider ce matin au lieu de rester couchée et de ne vous lever qu'à l'heure du thé.

— J'avais la migraine », répliqua Lady Stubbs d'un air boudeur.

Puis, son humeur se modifia, elle sourit affectueusement à la vieille dame et reprit :

« Je serai sage demain et ferai tout ce que vous voudrez.

— Voilà qui est gentil.

— J'ai une robe neuve qu'on m'a livrée ce matin. Venez avec moi là-haut pour la voir. »

Mrs. Folliat hésita. Lady Stubbs se leva et insista :

« Il faut venir. Elle est ravissante. Montons tout de suite…

— Si vous voulez ! » répondit la vieille dame en riant.

Lorsqu'elle suivit Hattie hors du salon, sa petite taille formait un contraste avec la haute silhouette de la jeune femme. Poirot qui les suivait des yeux fut frappé soudain de l'expression de lassitude qu'avait pris le visage de Mrs. Folliat. On eût juré qu'elle venait d'arracher le masque conventionnel qu'elle portait et laissait voir un chagrin caché. Poirot pensa que cette femme ne devait pas vouloir susciter la pitié.

Le capitaine Warburton s'assit sur le siège que

Lady Stubbs venait de quitter. Lui aussi regarda sortir les deux femmes, mais ce ne fut pas de la plus âgée qu'il parla. Ricanant un peu, il déclara :

« Superbe créature, n'est-ce pas ? »

Tandis que Sir George franchissait une porte-fenêtre en compagnie de Mrs. Masterton et de Mrs. Oliver, Warburton reprit :

« Elle a complètement envoûté Stubbs ! Rien n'est trop beau pour elle et il la couvre de fourrures précieuses, sans compter les bijoux. Je ne suis jamais arrivé à deviner s'il se rend compte qu'elle n'est pas d'une intelligence lumineuse... Il estime sans doute que cela n'a aucune importance ! Tous ces types de la finance ne cherchent guère une communion intellectuelle !

— De quel pays est-elle ? interrogea Poirot avec curiosité.

— J'estime qu'elle a l'air d'une Sud-Américaine. Toutefois, je crois qu'elle vient des Indes Orientales, d'une des îles où l'on cultive le sucre, et appartient à une vieille famille créole ; mais elle n'est pas métissée. Les gens se marient beaucoup entre eux dans ces îles, ce qui explique sa déficience mentale. »

Mrs. Legge s'approchait et s'écriait :

« Il faut que vous preniez mon parti, Jim ! Il est indispensable qu'on érige la tente à l'endroit que nous avons désigné, c'est-à-dire au fond de la pelouse, devant les rhododendrons. C'est la seule place indiquée.

— Tel n'est pas l'avis de Mrs. Masterton.

— Il vous appartient de l'en persuader. »

Warburton jeta un sourire ironique à la jeune femme.

« Mrs. Masterton est ma patronne !

— Votre patron n'est autre que Wilfrid Masterton ; c'est lui qui siège au Parlement.

— Possible, mais c'est elle qui devrait y être car elle porte la culotte dans le ménage. Nul ne le sait mieux que moi ! »

Sir George rentrait dans la pièce.

« Ah ! vous êtes là, Peggy ! dit-il. Nous avons besoin de vous. Je ne comprends pas qu'on puisse se disputer pour savoir qui doit beurrer les tartines, mettre un gâteau aux enchères, et pas davantage, pourquoi le comptoir des légumes a été substitué à celui des tricots ? Où est Amy Folliat ? Elle sait discuter avec toutes ces femmes, mieux que personne.

— Elle est montée avec Hattie.

— Vraiment... »

Sir George regarda autour de lui d'un air découragé. Miss Brewis, qui remplissait des fiches, se leva d'un bond en disant :

« Je vais la chercher, Sir George.

— Merci, Amanda. »

Miss Brewis quitta le salon et le maître de céans reprit :

« Il faut que nous nous procurions davantage de clôture en fil de fer.

— Pour la kermesse ?

— Non. Pour remplacer celle qui nous sépare des bois de Hoodown Park. L'ancienne ne tient plus et c'est là qu'ils passent...

— Qui cela ?

— Les indésirables ! »

Peggy Legge s'écria gaiement :

« Vous me faites penser à Betsy Trotwood qui combattait des ânes !

— Qui est Betsy Trotwood ? interrogea ingénument Stubbs.

— Un personnage de Dickens.

— Ah ! de Dickens. J'ai lu les *Souvenirs de Mr. Pickwick* autrefois. Ce n'est pas mal du tout… j'en ai été surpris ! Mais, sérieusement, depuis qu'on a installé cette ridicule Auberge de Jeunesse, ces gens sont effroyables ! Ils sortent de partout, vêtus des plus invraisemblables chemises ! J'en ai rencontré un ce matin qui en portait une couverte de tortues et d'autres bêtes… j'ai cru que j'avais trop bu et perdu la tête. La plupart d'entre eux ne savent pas l'anglais et baragouinent… (Il les imita.) « Oh ! siou plaît… me dire… pour aller bac ? » Je leur crie que ce n'est pas par là, je les renvoie d'où ils viennent ; mais la plupart du temps, ils ouvrent des yeux ronds et les filles ricanent. Il y a des gens de tous les pays, des Italiens, des Yougoslaves, des Hollandais, voire des Finnois, peut-être bien des Esquimaux ! Et la plupart communistes, conclut-il d'un air sombre.

— Allons, George, dit Mrs. Legge, ne commencez pas à parler politique. Je vais aller vous aider à morigéner ces femmes enragées… »

Tout en entraînant Stubbs vers la porte, elle ajouta par-dessus son épaule :

« Venez aussi, Jim, vous faire lapider pour une juste cause.

— D'accord, mais je veux mettre Mr. Poirot à la page pour la chasse à l'assassin, puisqu'il doit distribuer les récompenses.

— Vous le ferez plus tard.

— Je vous attendrai ici », proposa aimablement le criminologiste.

Quand il se trouva seul avec Alec Legge, ce dernier se dressa hors de son fauteuil et soupira :

« Oh ! les femmes ! Elles ressemblent à un essaim d'abeilles… et dans quel but ? Pour une stupide fête qui n'intéresse personne !

— Voyons, fit observer Poirot, il y a pourtant ceux auxquels elle est utile.

— Pourquoi l'humanité n'a-t-elle plus aucun bon sens ? Pourquoi ne réfléchit-elle pas ? Pensez au gâchis universel ! Les gens ne comprennent-ils donc pas que tous les habitants du globe sont occupés à se suicider ? »

Poirot estima que son interlocuteur n'attendait aucune réponse et se contenta de hocher la tête d'un air dubitatif.

« Si nous ne pouvons rien tenter avant qu'il soit trop tard… »

Legge s'interrompit et parut furieux.

« Oh ! reprit-il, je sais ce que vous pensez… comme tout le monde, comme ces maudits médecins : je suis nerveux, neurasthénique ! On m'a conseillé le repos, le changement, l'air de la mer. Alors, ma femme et moi sommes venus ici, avons loué le cottage du Moulin pour trois mois et j'ai obéi à l'ordonnance médicale : j'ai pêché, me suis baigné, fait de longues promenades, pris du repos au soleil…

— J'ai remarqué que vous aviez dû même recevoir des coups de soleil, répondit Poirot poliment.

— Oh ! dit Alec en passant les doigts sur son visage enflammé, voilà le résultat d'un bel été… Mais à quoi cela sert-il ? On ne peut éviter de regarder la vérité en se sauvant !

— La fuite est toujours inutile, en effet.

— De plus, une atmosphère campagnarde comme celle-ci fait mieux comprendre la situation… et l'incroyable apathie des habitants ! Ma femme elle-même, qui est pourtant intelligente, ne diffère pas des autres. Pourquoi s'inquiéter ? dit-elle. Cela m'exaspère ! Pourquoi s'inquiéter ?

— Permettez-moi de vous demander pour quelle raison vous vous tourmentez ?

— Juste ciel ! Vous aussi ?

— Non, ce n'est pas un conseil que je cherche à vous donner. Je voudrais simplement savoir ce à quoi vous tendez ?

— Ne comprenez-vous pas que quelqu'un doit agir ?

— Ce « quelqu'un » étant vous-même ?

— Oh ! non ! En des temps aussi troublés, il ne faut pas penser à soi.

— Je ne vois pas pourquoi. Même en ces « temps « troublés », comme vous les définissez, la personnalité subsiste.

— Il ne devrait pas en être ainsi ! Dans des moments d'angoisse, lorsqu'il s'agit de vie ou de mort, nul ne doit penser à ses insignifiantes préoccupations personnelles…

— Je vous assure que vous avez tort. Au cours de la dernière guerre, pendant un violent bombardement, j'étais beaucoup moins hanté par la crainte de la mort que par la souffrance lancinante que me faisait éprouver un cor au pied. J'en étais étonné, mais également énervé à la pensée qu'il me fallait avoir mal alors que la mort me guettait. C'était justement pour cela que chaque détail de mon existence prenait de l'importance. J'ai vu, une fois, une femme renversée par une voiture et ayant la jambe fracturée qui s'est mise à pleurer parce que son bas était déchiré !

— Ce qui vous prouve combien les femmes sont bêtes !

— Non, cela vous montre comment réagit la race humaine… et c'est peut-être cette absorption du moi qui lui a permis de survivre. »

Le jeune homme fit entendre un rire méprisant :

« Je pense parfois que c'est grand dommage !

— Pourtant, insista Poirot, c'est là une forme d'humilité ; or, l'humilité est un sentiment précieux. Je me souviens d'un slogan tracé sur les parois de votre chemin de fer souterrain pendant la guerre : *Tout dépend de vous*. Je crois qu'un prédicateur éminent en était l'auteur. Mais, à mon sens, c'était dangereux car c'était faux. Tout ne dépend pas de Mme X…, de Fouilly-les-Oies, car si elle en vient à le croire, sa mentalité ne s'améliorera pas ; pendant qu'elle réfléchira au rôle qu'elle peut jouer dans le destin des hommes, son bébé renversera la bouilloire et mourra ébouillanté.

— Il me semble que vos idées sont plutôt démodées. Quel slogan aurait votre approbation ?

— Il est inutile que j'en fabrique un, car il existe une maxime déjà ancienne qui me convient parfaitement : *Ayez confiance en Dieu et tenez votre poudre sèche*.

— Tiens, tiens ! s'écria Legge qui parut amusé. Voilà qui est inattendu dans votre bouche ! Savez-vous ce que j'aimerais voir faire dans ce pays-ci ?

— Quelque chose de violent et de désagréable, je suppose », riposta Poirot en souriant.

Mais Alec ne se dérida pas.

« Je voudrais faire disparaître tous les faibles d'esprit ; ne pas leur permettre de procréer. Songez au résultat qu'on obtiendrait si, pendant une génération, seuls les gens intelligents avaient des enfants...

— Il est probable que les asiles d'aliénés regorgeraient de clients, répondit Poirot d'un ton sec. Une plante doit comprendre aussi bien des racines que des fleurs. Même si celles-ci sont grandes et belles, elles disparaîtront une fois les racines détruites... »

Il ajouta, du ton d'une conversation banale :

« Considéreriez-vous Lady Stubbs comme destinée à la chambre d'asphyxie ?

— Sans aucun doute ! Quelle est l'utilité d'une femme semblable ? Quel service a-t-elle jamais rendu à la société ? A-t-elle jamais pensé à autre chose qu'à ses robes, ses fourrures ou ses bijoux ? Je vous le répète, à quoi sert-elle ?

— Vous et moi, répondit Poirot doucement, sommes certainement bien plus intelligents que Lady Stubbs. Mais... il hocha mélancoliquement la tête, je crains que nous ne soyons pas, de loin, aussi décoratifs qu'elle.

— Décoratifs... » dit Alec avec un ricanement féroce.

Mais il fut interrompu par le retour de Mrs. Oliver et de Warburton qui entraient par la porte-fenêtre.

Chapitre 4

Mrs. Oliver, toute essoufflée, s'écria :

« Il faut que vous veniez voir les indices et les fiches que nous avons préparés pour la course à l'assassin. »

Poirot se leva et la suivit docilement. Accompagnés du capitaine, ils traversèrent le vestibule et passèrent dans une petite pièce meublée en bureau.

« Les armes du crime sont à votre droite », annonça Warburton en montrant une table de jeu couverte de drap vert. On y avait rassemblé un petit revolver, un morceau de tuyau de plomb sur lequel s'étalait une sinistre tache de rouille, un flacon bleu étiqueté « Poison », une forte corde à linge et une seringue hypodermique.

« Voici donc les armes, reprit Mrs. Oliver et voici les suspects. »

Elle tendit à son vieil ami une carte imprimée qu'il lut avec intérêt.

SUSPECTS :

Estelle Glynne : belle jeune femme énigmatique, invitée chez le colonel Blunt, seigneur du village, dont la fille Joan est mariée à Peter Gaye, jeune savant qui s'occupe des armes nucléaires.

Miss Willing, femme de charge.

Quiett, maître d'hôtel.

Maya Stavisky, jeune touriste.
Esteban Loyola, venu sans être invité.

Poirot cligna les paupières, regarda Mrs. Oliver d'un air vague et lui dit courtoisement :

« Magnifique distribution… Mais que doit faire le concurrent ?

— Tournez la carte », expliqua Warburton.

Poirot obéit et lut sur l'autre face :

Nom et adresse
Solution :
Nom de l'assassin
Arme du crime
Motif
Heure et lieu de l'assassinat
Pour quelles raisons êtes-vous arrivé à ces conclusions ?

« Toutes les personnes qui s'inscriront recevront une de ces cartes, expliqua le capitaine avec volubilité, ainsi qu'un carnet et un crayon pour inscrire les indices. Il y en aura six et les chercheurs doivent aller de l'un à l'autre comme dans les courses au trésor. Les armes seront cachées dans des endroits suspects. Voici le premier indice : un instantané. Tous les concurrents en recevront un.

Poirot prit la petite épreuve et l'étudia en fronçant les sourcils. Puis, il la retourna et continua de paraître intrigué. Warburton riait.

« C'est une ingénieuse photo truquée, n'est-ce pas ?

En réalité, quand on sait ce qu'elle représente, c'est enfantin. »

Poirot, qui l'ignorait, éprouva un sentiment d'agacement.

« Une fenêtre garnie de barreaux ? suggéra-t-il.

— Cela y ressemble... mais c'est un morceau de filet de tennis.

— Ah ! Comme vous le disiez, c'est évident quand on est au courant.

— Tout dépend toujours de la manière dont on envisage la question, déclara Warburton en riant.

— Que voilà donc une profonde vérité !

— On trouvera le second indice dans une boîte posée sous le milieu du filet de tennis. Elle contiendra cette bouteille de poison vide et un bouchon.

— Vous comprenez, interrompit vivement Mrs. Oliver, comme le flacon est automatiquement bouché, c'est le bouchon qui constitue l'indice.

— Je sais, madame, que vous êtes toujours très ingénieuse, mais je ne saisis pas bien... »

Mrs. Oliver l'interrompit :

« Il y a un résumé... comme dans les feuilletons. Avez-vous reçu les feuillets ? demanda-t-elle en se tournant vers Warburton.

— L'imprimeur ne les a pas encore livrés.

— Pourtant, il avait promis...

— Je sais ! Ils promettent tous ! Les feuillets seront prêts ce soir à six heures. Je vais aller les chercher en voiture.

— Parfait ! »

Mrs. Oliver soupira, se tourna vers Poirot et continua :

« Il va falloir que je vous explique… seulement, je le fais mal. Quand j'écris, mon texte est très clair, mais dès que je parle, je m'embrouille. C'est pourquoi je n'expose jamais les plans de mes romans à quelqu'un ; j'y ai renoncé parce qu'on me regardait et l'on disait : « Heu… oui mais… je ne comprends pas bien… il « n'est pas possible que vous en tiriez un livre… » C'était décourageant… et inexact parce que, dès que j'ai la plume à la main, tout devient facile. »

Elle respira fortement, puis ajouta :

« Voici : Peter Gaye, le jeune savant, est accusé d'être à la solde des communistes et a épousé Joan Blunt ; sa première femme est soi-disant morte, mais elle ne l'est pas et elle reparaît, car c'est une espionne, ou peut-être n'est-elle qu'une simple touriste… le nommé Loyola vient la surveiller et quelqu'un écrit une lettre de chantage : c'est la femme de charge ou le maître d'hôtel et le revolver a disparu ainsi que la seringue hypodermique tombée d'une poche au dîner… »

La romancière s'arrêta et parut deviner les réactions du criminologiste.

« Je sais, déclara-t-elle sans se troubler, que tout cela est un galimatias, mais il n'en est rien et quand vous lirez le résumé, vous estimerez que l'histoire est fort plausible… D'ailleurs, elle n'a pas grand intérêt *pour vous*. Vous n'aurez qu'à remettre les prix qui sont très jolis : le premier est un étui à cigarettes en argent, qui a la forme d'un revolver. Puis vous prononcerez quelques mots pour féliciter l'habile lauréat. »

Poirot pensa à part lui que ce lauréat se montrerait, en effet, très intelligent. En réalité, il doutait fort que quelqu'un fût en mesure de trouver la solution, car toute l'affaire lui semblait nébuleuse au possible.

« Je crois, dit Warburton en consultant son bracelet-montre, qu'il est temps que j'aille chercher les feuilles chez l'imprimeur.

— Si elles ne sont pas prêtes ?... gémit la romancière.

— Elles le sont, j'ai téléphoné. A tout à l'heure ! »

Il sortit et, aussitôt, Mrs. Oliver saisit le bras de Poirot, le serra fortement et murmura d'un ton rauque :

« Eh bien ?

— Quoi ?

— Avez-vous trouvé quelque chose ? Soupçonnez-vous quelqu'un ? »

Il répondit, non sans reproche :

« Tout et tous me paraissent absolument normaux.

— Normaux ?

— Le mot est peut-être mal choisi. Comme vous le dites, Lady Stubbs ne l'est certainement pas et Mr. Legge ne l'est pas tout à fait.

— Oh ! il a simplement eu une dépression nerveuse, ce n'est rien », répliqua Mrs. Oliver avec quelque impatience.

Poirot n'insista pas sur ce point et continua :

« Chacune des personnes que j'ai vues me semble agitée, fatiguée, irritable, ce qui est tout à fait caractéristique quand on organise une fête de ce genre. Si vous pouviez m'indiquer...

— Chut ! On vient ! » souffla-t-elle en le pinçant à nouveau.

Poirot croyait assister à un vulgaire mélodrame et

son agacement s'intensifiait. Le visage calme de Miss Brewis s'encadra dans l'entrebâillement de la porte.

« Ah ! vous êtes là, monsieur ? Je vous cherchais pour vous montrer votre chambre. »

Elle le conduisit au premier étage et lui fit longer un couloir jusqu'à une grande pièce claire qui ouvrait sur la rivière, puis elle déclara :

« Il y a une salle de bains juste en face. Sir George voudrait en ajouter d'autres, mais cela gênerait les proportions des chambres. J'espère que vous serez à votre aise dans celle-ci.

— Sans aucun doute, répondit-il en regardant avec plaisir le petit pupitre, la lampe de chevet et la grosse boîte de biscuits qui avoisinaient le lit. Vous paraissez avoir tout organisé à la perfection. Est-ce vous ou ma charmante hôtesse que je dois féliciter ?

— Le fait d'être charmante absorbe tous les loisirs de Lady Stubbs, répliqua Miss Brewis d'un ton assez aigre.

— Elle est fort agréable à regarder…

— En effet.

— Toutefois, reprit Poirot, sous d'autres rapports, elle n'est pas peut-être tout à fait… (Il s'interrompit.) Pardon ! je suis indiscret et je parle d'une question qu'il vaut sans doute mieux taire. »

Miss Brewis le regarda fixement et répondit sèchement :

« Lady Stubbs sait parfaitement ce qu'elle fait. Non seulement elle est, comme vous le disiez, très agréable à voir, mais de plus, fort avisée. »

Elle quitta la pièce avant que Poirot ne fût revenu de sa surprise. Telle était donc l'opinion de la compétente

Miss Brewis ? A moins qu'elle n'eût parlé ainsi pour des raisons spéciales ? Pourquoi s'était-elle exprimée de cette manière devant un nouveau venu et un étranger ? Peut-être justement parce qu'il était nouveau venu et même étranger... Hercule Poirot savait par expérience que beaucoup d'Anglais estiment sans importance ce qu'ils disent à d'autres que leurs compatriotes.

Il fronça les sourcils d'un air perplexe et regarda sans la voir la porte par laquelle Miss Brewis était sortie. Puis il s'approcha de la fenêtre. Il aperçut Lady Stubbs qui venait de franchir la porte-fenêtre en compagnie de Mrs. Folliat ; toutes deux s'arrêtèrent près du magnolia, puis la vieille dame dit au revoir à sa compagne, ramassa son panier et ses gants de jardinage qu'elle avait déposés là et s'éloigna par la grande avenue. Lady Stubbs la suivit des yeux un instant, cueillit une fleur de magnolia d'un air distrait, la porta à ses narines et se mit lentement en marche sur l'allée qui s'enfonçait sous bois. Avant de disparaître, elle regarda par-dessus son épaule. Michaël Weyman parut derrière le gros arbre, hésita un instant, puis suivit la jeune femme.

Poirot admira ce beau garçon d'allure dynamique. Il était incontestablement plus séduisant que Sir George Stubbs.

Qu'y avait-il là d'étrange ? Etait-ce pour cette raison que Mrs. Oliver avait obligé son vieil ami à se déplacer ? Elle ne manquait pas d'imagination mais...

« Après tout, pensa Poirot, je n'ai rien d'un censeur. Y aurait-il quelque chose de réel dans la prémonition de Mrs. Oliver ? »

Elle avait l'esprit brouillon et il ne s'expliquait

jamais par quel miracle elle écrivait des romans policiers parfaitement logiques. Pourtant, son intuition de la vérité avait souvent surpris le criminologiste.

« Je n'ai guère de temps devant moi, dit-il à mi-voix. Y a-t-il ici quelque chose de louche comme le suppose Mrs. Oliver ? Je suis enclin à le croire. Mais quoi ? Qui pourrait m'éclairer ? Il me faudrait en savoir plus long, beaucoup plus long, au sujet des habitants de cette maison. Mais qui pourrait me renseigner ? »

Après avoir réfléchi un instant, il prit son chapeau – Poirot ne sortait jamais tête nue le soir – quitta sa chambre et descendit l'escalier en courant. Il perçut de loin les intonations sonores de Mrs. Masterton et, plus près, la voix de Sir George qui roucoulait positivement.

« Ce voile est joliment seyant ! Je voudrais vous avoir dans mon harem, Peggy. Je viendrai me faire dire la bonne aventure demain. Que me révélerez-vous ? »

Poirot leva les sourcils et sortit par une porte de côté, puis se mit à courir dans un chemin creux qu'il estimait devoir le ramener vers la grande allée. Sa manœuvre fut couronnée de succès et lui permit d'arriver – un peu essoufflé – à la hauteur de Mrs. Folliat, qu'il déchargea galamment de son panier en disant :

« Vous permettez, madame ?

— Merci, monsieur, vous êtes fort aimable ; mais il n'est pas lourd.

— Laissez-moi le porter jusque chez vous. Vous demeurez loin ?

— J'habite le pavillon du concierge, à côté de l'entrée principale. Sir George a la bonté de me le louer. »

Le pavillon qui se trouvait à l'extrémité de son

ancienne propriété... Poirot se demanda quels sentiments elle éprouvait à cet égard ; mais elle était si calme en apparence qu'il ne pouvait le deviner. Il changea de sujet et demanda :

« Lady Stubbs est beaucoup plus jeune que son mari, n'est-ce pas ?

— Elle a vingt-trois ans de moins.

— Physiquement, elle est très attrayante.

— Hattie est une chère petite. »

Poirot ne s'était pas attendu à une réponse de ce genre. Mrs. Folliat reprit :

« Je la connais bien. Je l'ai élevée pendant un certain temps.

— Je l'ignorais.

— Comment l'auriez-vous appris ? C'est une histoire assez triste. Sa famille avait des plantations de cannes à sucre dans les Indes Orientales. A la suite d'un tremblement de terre, leur maison a brûlé et tous les parents de Hattie ont péri. Elle était pensionnaire à Paris, dans un couvent, et s'est brusquement trouvée seule au monde. Ses tuteurs ont estimé utile, quand elle a eu passé un certain temps à l'étranger, qu'elle ait un chaperon qui la dirigerait dans la bonne société. J'ai accepté cette mission ». Mrs. Folliat ajouta en souriant un peu : « Je puis m'habiller convenablement dans certains cas et, bien entendu, j'avais les relations voulues. Feu le gouverneur de la colonie était même un vieil ami de mon mari.

— Je me rends très bien compte, madame.

— Le poste me convenait parfaitement car je traversais une période difficile. Mon mari était mort juste avant la guerre; mon fils aîné, qui était dans la marine, a coulé avec son bâtiment; mon plus jeune fils qui était au Kenya, était revenu, s'était engagé dans les commandos et avait été tué en Italie. J'avais donc eu trois fois à payer des droits de succession et j'ai dû vendre cette propriété. J'avais fort peu d'argent et j'ai été contente d'avoir à m'occuper d'une jeune fille et de voyager avec elle. Je me suis attachée à Hattie, justement parce que je n'ai pas tardé à comprendre qu'elle était... disons incapable de mener sa barque seule. Comprenez-moi bien, monsieur : elle n'est pas idiote, mais elle est ce que les campagnards appellent « simplette ». On la domine facilement, elle est trop docile et j'estime fort heureux qu'elle n'ait eu aucune fortune. Si elle avait été riche, sa situation eût été beaucoup plus difficile. Elle plaît aux hommes, elle est affectueuse par nature, aisément influençable, bref, il fallait veiller sur elle. Quand, après la liquidation de son héritage, j'ai su que la plantation était détruite et qu'il restait surtout des dettes, j'ai été soulagée qu'un homme comme Sir George Stubbs se soit épris d'elle et voulût l'épouser.

— C'était, en effet, une solution.

— Bien qu'il soit le fils de ses œuvres et, avouons-le, plutôt vulgaire, il est bon et honnête; de plus, il est très riche. Je crois qu'il ne cherche pas une compagne intellectuelle, ce qui, dans ce cas particulier, vaut mieux. Hattie lui donne ce qu'il souhaite : elle porte à ravir toilettes et bijoux, est affectueuse, souple et se trouve parfaitement heureuse. J'en suis enchantée, car j'avoue l'avoir poussée à cette union. Si elle avait été mal assortie – la voix de la vieille dame tremblait un peu – j'en aurais été responsable car, ainsi que je vous l'ai dit, Hattie est tout à fait influençable et obéit à ceux qui lui parlent.

— Il me semble que vous avez agi très sagement. Je ne suis pas romanesque et, pour arranger un bon mariage, il faut envisager d'autres éléments que la petite fleur bleue. Cette propriété est magnifique et tout à fait unique dans son genre.

— Puisqu'il me fallait la vendre, répondit Mrs. Folliat d'un ton ému, je suis contente que Sir George l'ait achetée. Pendant la guerre, elle avait été réquisitionnée et, ensuite, elle aurait pu être convertie en hôtel ou en école ; les pièces eussent été diminuées et tout eût été abîmé. Nos voisins, les Fletcher, ont dû vendre *Hoodown*, dont on a fait une Auberge de Jeunesse. Evidemment, les jeunes ont le droit de se distraire et, de plus, *Hoodown* n'était pas une maison très ancienne et n'avait rien d'exceptionnel ; les modifications n'ont donc pas d'importance. Malheureusement, les touristes entrent sur nos terres, ce qui met Sir George en fureur, car ils abîment les jeunes arbres rares en essayant de trouver un raccourci pour gagner le bac qui traverse la rivière. »

Les deux causeurs avaient atteint la grille d'entrée. Le pavillon, petite construction blanche à un étage, s'élevait un peu en retrait de l'avenue et était entouré d'un jardin grillagé.

Mrs. Folliat prit le panier des mains de Poirot qu'elle remercia encore, puis elle ajouta :

« Ce pavillon m'a toujours beaucoup plu. Bardle, notre jardinier-chef, y habitait. Je préfère cette habitation au cottage qui a été agrandi et modernisé par

Sir George ; il fallait l'arranger, car nous avons maintenant un jeune ménage de jardiniers et, actuellement, ils veulent des fourneaux électriques, la télévision, etc. Il faut marcher avec son temps. » Elle soupira : « il n'y a presque plus personne dans la propriété qui s'y soit trouvé à l'époque de ma jeunesse.

— Je suis heureux, madame, dit Poirot, que vous y ayez gardé un havre.

— Vous connaissez les vers de Spencer : *Le sommeil après le labeur, l'entrée au port après la tempête, le calme après la guerre, la mort après la vie, nous sont agréables…* »

Elle s'interrompit et conclut du même ton :

« Le monde est très méchant, monsieur, et contient des gens plus méchants encore. Vous devez le savoir comme moi. Je ne le dis pas devant la jeune génération que cela pourrait décourager et, pourtant, c'est vrai. Oui, le monde est mauvais… »

Elle inclina légèrement la tête, se retourna et entra dans la maison dont Poirot regarda la porte pendant un instant.

Chapitre 5

1

Saisi d'un désir d'exploration, le criminologiste franchit les grandes grilles et s'engagea sur la route escarpée qui se terminait sur un petit quai. Il y avait un écriteau sous une grosse cloche munie d'une chaîne : « Sonnez pour le bac. »

Diverses embarcations étaient amarrées au bord du quai. Un vieillard aux yeux chassieux, appuyé contre une bitte d'amarrage, se redressa, s'approcha de Poirot :

« C'est-y qu'vous voulez l'bac, m'sieur ?

— Non, merci. J'arrive du château de Nasse en me promenant.

— Ah ! c'est z'à *Nasse* qu'vous êtes ? J'y travaillais quand j'étais jeune et mon fils l'a été chef-jardinier. Mais moi, j'm'occupais des bateaux. L'vieux m'sieur Folliat l'était fou d'bateaux et s'embarquait par tous les temps. Son fils, l'major, aimait pas naviguer. Y s'occupait que des ch'vaux et y a dépensé un beau denier. L'aimait aussi la bouteille. Sa femme l'a pas toujours eu la vie rose ! Peut-être qu'vous la connaissez. L'habite l'pavillon à présent.

— Oui, je viens juste de l'y accompagner.

— L'est aussi un'Folliat, cousine du côté d'la

branch'de Tiverton. S'occup'beaucoup d'jardinage. C'est z'elle qu'a planté tous les buissons fleuris. Même quand y avait d'aut'gens pendant la guer'et qu'les jeunes messieurs l'étaient partis, l'a toujours entret'nu les bosquets et empêché qu'on les arrach'.

— C'est dur pour elle d'avoir perdu ses deux fils.

— Ah ! pour ça, l'a été dur'sa vie. Des ennuis avec son mari et avec le jeun'homme. Pas m'sieur Henry qu'était aussi gentil qu'possible. Ressemblait à son grand-père, l'aimait naviguer et l'est entré dans la Marine. C'est m'sieur James qu'a am'né des tracas à sa mère. Les fem', le jeu, puis un sal'caractère. L'était d'ceux qui n'peuvent'pas marcher droit. La guer'lui a porté chance. Y a des hom'qui n'valent rien en temps d'paix, mais qui meur'brav'ment à la guerre !

— De sorte, dit Poirot, qu'il n'y a plus de Folliat à *Nasse* ? »

Le bavardage du vieillard cessa brusquement.

« Com'vous dites, m'sieur. »

Poirot le dévisagea attentivement.

« Maintenant, vous avez Sir George Stubbs. Que pense-t-on de lui par ici ?

— On dit qu'l'est puissamment rich'. »

Le vieux paraissait moqueur.

« Et sa femme ?

— Oh ! c'est z'un'belle dam'de Londres. S'occup'pas des jardins ! Pis on dit qu'y lui manqu'un'case là... »

Il se frappa le front d'un air entendu.

« L'est pourtant toujours bien aimabl'. Y a just'un an qu'y sont là. L'ont ach'té la maison et l'ont tout fait r'faire'. J'me rappelle leur arrivée com'si c'était hier.

Sont v'nus l'soir, le lend'main d'la pir'tempête qu'j'aie jamais vue. Y avait des arbres abattus partout. Un grand l'était mêm'tombé en travers d'l'av'nue et nous a fallu l'scier au trot pour qu'l'auto elle puisse passer. Puis l'grand chên'est tombé et en a entraîné d'aut'... ça a fait un beau gâchis !

— Oui, à l'endroit où l'on a construit *La Folie* ? »

Le vieillard se détourna d'un air dégoûté et cracha par terre.

« *Folie* qu'ça s'appelle et *Folie* qu'c'est... un'bêtis'moderne. Y en avait pas du temps des vieux Folliat ! C'est la jeun'dam'qu'a eu c't idée. L'a fait construir'trois s'main'après leur arrivée et j'suis sûr qu'elle a persuadé Sir George. L'a l'air bête, perchée là-haut au milieu des arbres com'un temple de païens. J'aurais rien dit d'un joli salon d'été, genr'rustique, avec des vitraux... »

Poirot sourit un peu.

« Les dames de Londres veulent qu'on obéisse à leurs fantaisies. Il est malheureux que la famille Folliat ne soit plus là.

— N'croyez pas ça, m'sieur, dit le vieillard en grimaçant. Y aura toujours des Folliat à *Nasse*.

— Pourtant, la propriété appartient à Sir George Stubbs.

— Ça s'peut, mais y a 'core un'Folliat. C'est une race rusée !

— Que voulez-vous dire ? »

L'homme jeta un regard de côté à son interlocuteur et répliqua :

« Ben ! Mrs. Folliat habite le pavillon, pas vrai ?

— Oui, répondit Poirot lentement. Mrs. Folliat

habite le pavillon et le monde est méchant… les gens le sont encore plus… »

Son interlocuteur le dévisagea et marmotta :

« C'est p't'être ben vrai, c'que vous dites là ! »

Puis il s'éloigna en traînant les pieds.

« Oui, mais qu'ai-je découvert, en somme ? » se demanda le criminologiste avec irritation, tandis qu'il retournait à pas lents vers le château.

2

Hercule Poirot fit une toilette méticuleuse, appliqua une pommade odorante sur ses moustaches et les tordit en pointes aiguës. Il recula, se regarda dans la glace et fut satisfait de ce qu'il y voyait.

Le bruit du gong retentit dans la maison et l'invité descendit. Le maître d'hôtel après avoir joué *crescendo, forte, diminuendo, rallentendo,* non sans adresse, replaça le marteau sur son crochet ; son visage brun et mélancolique paraissait plutôt fier de son exploit.

Poirot pensa :

« *Une lettre de chantage de la femme de charge… ou, peut-être du maître d'hôtel…* » Celui-ci semblait fort capable d'en écrire. Mrs. Oliver décrivait-elle des personnages pris sur le vif ?

A cet instant, Miss Brewis traversa le vestibule ; elle avait revêtu une robe à fleurs peu seyante. Poirot la rejoignit et demanda :

« Y a-t-il une femme de charge, ici ?

— Oh ! non, monsieur. De nos jours, on ne se

permet plus un personnel aussi complet, sauf dans les maisons montées sur un très grand pied. Je suis à la fois femme de charge et secrétaire, parfois surtout femme de charge », conclut-elle avec un petit rire acide.

Poirot la dévisagea d'un air pensif. Il lui semblait peu vraisemblable qu'elle écrivît des lettres de chantage... Peut-être une lettre anonyme... Il avait connu des cas où l'auteur ressemblait à Miss Brewis : une femme calme, sérieuse, absolument insoupçonnable aux yeux de son entourage. Il demanda :

« Comment s'appelle le maître d'hôtel ?

— Hendon », répondit Miss Brewis, qui parut étonnée.

Poirot se ressaisit et ajouta vivement :

« Je vous pose cette question parce qu'il me semble l'avoir déjà vu ailleurs.

— C'est fort probable. Ces gens-là ne paraissent jamais rester plus de quatre mois dans la même place et ne doivent pas tarder à avoir fait le tour de toutes les maisons qui emploient des maîtres d'hôtel et des cuisiniers ; il n'y en a plus guère actuellement. »

Ils entrèrent dans le salon où Sir George, qui semblait mal à son aise en smoking, versait du sherry. Mrs. Oliver, vêtue de satin gris-fer, ressemblait à un cuirassé d'ancien modèle et la tête brune de Lady Stubbs se penchait sur un numéro de *Vogue*.

Le ménage Legge et Jim Warburton étaient invités au dîner et le maître de maison déclara :

« Nous ne manquons pas de travail ce soir ! Donc, pas de bridge ! Il y a des masses de programmes à écrire et aussi la grande affiche pour la voyante. Quel nom lui donnons-nous ? Mme Zuleika ? Esméralda ? Romany Leigh, reine des bohémiens ?

— Un nom oriental, affirma Peggy. Dans les campagnes, les bohémiens sont détestés. Zuleika me paraît convenir. J'ai apporté ma boîte de peinture, car je pense que Michaël pourra dessiner un serpent enroulé pour orner l'affiche.

— Alors, vous serez plutôt Cléopâtre que Zuleika. »

Hendon parut au seuil de la porte.

« Le dîner est servi, madame. »

On passa dans la salle à manger. La table était éclairée par des bougies et le reste de la pièce était dans la pénombre.

Warburton et Alec Legge encadraient la maîtresse de maison. Poirot était assis entre Mrs. Oliver et Miss Brewis ; celle-ci donnait de nombreux détails sur les préparatifs du lendemain. Mais la romancière paraissait préoccupée et ne parlait guère. Quand elle prit enfin la parole, ce fut pour s'excuser.

« Ne vous tourmentez pas à mon sujet, dit-elle à Poirot. Je cherche à me rappeler si je n'ai rien oublié. »

Sir George se mit à rire.

« La fatale erreur ? interrogea-t-il.

« C'est bien cela. Il y en a toujours une et, parfois, on ne s'en aperçoit qu'après la parution du livre ! Alors, c'est affreux ! Ce qu'il y a de curieux, ajouta-t-elle en soupirant, c'est que la majorité des lecteurs ne s'aperçoivent de rien. Moi, je pense : « Bien entendu, la cui-
« sinière aurait dû remarquer que deux des côtelettes
« n'avaient pas été mangées ! » Mais personne ne l'a remarqué.

— C'est passionnant, s'écria Michaël Weyman, en se penchant vers elle. « Le mystère de la seconde côte- « lette. » Ne m'expliquez rien ! Je vais y penser dans mon bain. »

Mrs. Oliver lui adressa un sourire vague et retomba dans sa méditation. Lady Stubbs était également silencieuse et bâillait de temps à autre. Warburton, Legge et Miss Brewis causaient ensemble par-dessus son épaule. Lorsqu'on sortit de la salle à manger, Hattie s'arrêta au pied de l'escalier et annonça :

« J'ai grand sommeil. Je vais me coucher.

— Oh ! madame, dit vivement Miss Brewis, nous avons tant de travail et nous comptions sur vous pour nous aider !

— Je sais… mais je vais me coucher. »

Elle parlait du ton obstiné d'un bébé et, comme son mari sortait à son tour de la salle à manger, elle luit dit :

« Je suis fatiguée, George, et je vais me coucher. Vous voulez bien ? »

Il s'approcha, lui tapota affectueusement le bras et répondit :

« Allez faire des provisions de beauté pour demain, Hattie. »

Puis il l'embrassa doucement. Elle gravit l'escalier, agita la main et cria :

« Bonsoir, tout le monde ! »

Sir George lui sourit. Miss Brewis retint brusquement sa respiration et se détourna. Après quoi, elle dit avec une gaieté forcée :

« Allons travailler. »

Bientôt, chacun se mit à l'œuvre... mais comme Miss Brewis ne pouvait être partout en même temps, il y eut rapidement des défections. Weyman, après avoir peint un magnifique serpent sur une affiche et l'avoir entouré des mots : *Mme Zuleika vous révèlera votre avenir*, s'éclipsa discrètement. Alec Legge sortit en annonçant qu'il allait tracer les limites d'un jeu... et ne reparut pas. Les femmes travaillèrent consciencieusement, mais Hercule Poirot suivit l'exemple de Lady Stubbs et alla se coucher.

3

Il descendit le lendemain matin, à neuf heures trente. Le petit déjeuner était servi comme au temps de l'avant-guerre et une rangée de plats gardait la température voulue sur un réchaud électrique. Le maître de maison absorbait un copieux repas d'œufs brouillés, de bacon et de rognons grillés. Mrs. Oliver et Miss Brewis l'imitaient jusqu'à un certain point. Michaël Weyman mangeait une grosse assiettée de jambon d'York. Seule Lady Stubbs se contentait de pain grillé et de café noir. Elle était coiffée d'un immense chapeau rose qui paraissait peu en rapport avec cette réunion matinale.

Le courrier venait d'arriver. Miss Brewis triait un gros tas de lettres et remettait à Sir George celles qui portaient la mention «personnelle». Elle ouvrait les autres et les classait par catégories.

Il y avait trois lettres devant Lady Stubbs. Les deux premières paraissaient être des factures et, après les avoir ouvertes, elle les mit de côté. Puis elle décacheta la troisième et dit très haut :

« Par exemple ! »

Elle semblait si étonnée que toutes les têtes se tournèrent vers elle. Elle reprit :

« C'est une lettre d'Etienne… mon cousin Etienne. Il arrive sur un yacht.

— Montrez ! » dit son mari en étendant la main.

Elle lui passa le papier qu'il défroissa avant de lire, puis demanda :

« Qui est cet Etienne de Sousa ? Un de vos cousins ?

— Je crois… issu de germains. Je ne m'en souviens pas bien… presque pas. Il était…

— Qu'était-il, ma chère ? »

Elle haussa les épaules.

« Cela n'a aucune importance… il y a si longtemps… je n'étais qu'une petite fille…

— En effet, vous ne devez pas vous souvenir nettement de lui. Cependant, il nous faut l'accueillir aimablement, déclara Sir George avec bonne humeur. Dommage que nous soyons si occupés par la fête aujourd'hui… mais nous l'inviterons à dîner et nous pourrons peut-être le garder un ou deux jours… lui faire visiter les environs. »

Stubbs était le type même du seigneur campagnard.

Sa femme ne répondit pas et fixa les yeux sur sa tasse.

La conversation devint générale et traita uniquement des préparatifs de la fête. Seul, Poirot n'y prit aucune part, occupé qu'il était à regarder la maîtresse de maison. Il se demandait à quoi elle pensait… Au même instant, ses paupières se soulevèrent et elle jeta un coup d'œil rapide au criminologiste, coup d'œil si aigu et si compréhensif qu'il en fut stupéfait. Lorsque leurs regards se croisèrent, toute intelligence disparut de celui de la jeune femme qui redevint vague… mais Poirot avait surpris l'autre, froid, calculateur, vigilant…

Se pouvait-il qu'il eût imaginé ? Du reste, les faibles d'esprit ne possèdent-ils pas souvent un fond de ruse sournoise qui étonne parfois ceux-là mêmes qui croient les connaître ?

Décidément, il y avait une énigme en Lady Stubbs, et les opinions variaient du tout au tout à son sujet. Miss Brewis avait insinué qu'elle agissait avec discernement. Mais Mrs. Oliver la croyait stupide et Mrs. Folliat, qui la connaissait depuis longtemps, parlait d'elle comme d'un être peu normal qu'il fallait surveiller et protéger…

Miss Brewis était certainement partiale, car l'indolence et l'égoïsme de la jeune femme l'exaspéraient. Poirot se demanda si la secrétaire de Sir George avait déjà occupé ce poste avant le mariage de son patron. En ce cas, le nouveau régime pouvait fort bien lui déplaire.

Jusque-là, Poirot partageait la manière de voir de la romancière et de Mrs. Folliat… Il n'en était plus de même à présent ; mais pouvait-il se fier à une impression fugitive ?

Lady Stubbs se leva brusquement et annonça :

« J'ai mal à la tête ; je vais m'étendre dans ma chambre. »

Son mari bondit et s'écria :

« Ma chère petite, vous n'êtes pas malade, au moins ?

— Une simple migraine.

— Vous serez en état de paraître dans l'après-midi ?

— Je l'espère.

— Prenez un comprimé, conseilla Miss Brewis. En avez-vous, ou dois-je vous en monter ?

— J'en ai. »

Hattie se dirigea vers la porte et laissa tomber le mouchoir qu'elle serrait entre ses doigts. Poirot avança vivement et le ramassa discrètement. Sir George allait suivre sa femme, mais Miss Brewis l'arrêta.

« Je désire vous consulter au sujet du parc à autos, car je vais donner des instructions à Mitchell. Pensez-vous que la meilleure solution sera celle que vous... »

Poirot, qui sortait de la pièce, n'entendit pas la suite. Il rejoignit Lady Stubbs dans l'escalier, lui tendit le mouchoir en s'inclinant et murmura :

« Vous avez laissé tomber ceci, madame.

— Vraiment ? Merci.

— Je suis désolé que vous soyez fatiguée... juste comme votre cousin va arriver. »

Elle répondit presque violemment :

« Je ne veux pas le voir ! Je ne l'aime pas... Il est méchant, il l'a toujours été... il me fait peur. Il commet des actions mauvaises. »

La porte de la salle à manger se rouvrit et Sir George traversa le vestibule en courant.

« Hattie, ma pauvre chérie ! Je vais vous installer confortablement. »

Il lui entoura les épaules de son bras et la soutint d'un air préoccupé.

Poirot les suivit de l'œil, puis, en se retournant, aperçut Miss Brewis qui arrivait, les mains pleines de papiers, et lui dit :

« La migraine de Lady Stubbs...

— Elle n'a pas plus de migraine que moi », répondit la secrétaire avec humeur. Puis elle s'engouffra dans son bureau dont elle claqua la porte.

Poirot soupira, passa sur la terrasse et constata que Mrs. Masterton venait d'arriver dans une petite auto et faisait ériger une tente pour les rafraîchissements, en donnant des ordres de sa voix sonore. Elle se retourna pour lui souhaiter le bonjour et déclara :

« Toutes les organisations de ce genre sont assommantes ! Et les gens montent toujours les tentes aux mauvais endroits... Non, Roger... plus à gauche... *à gauche, pas à droite* ! Que pensez-vous du temps, monsieur ? Il me paraît douteux. La pluie serait désastreuse alors que, par extraordinaire, nous avons eu un bel été. Où est Sir George ? Je voudrais lui parler du parc à autos.

— Sa femme a la migraine et vient d'aller s'étendre...

— Oh ! elle sera remise cet après-midi, affirma Mrs. Masterton. Elle adore les réunions. Elle fera une toilette éblouissante et sera fière comme Artaban. Voulez-vous aller me chercher les piquets qui sont là-bas ? Je veux marquer l'emplacement du golf miniature. »

Ainsi enrégimenté, Poirot dut travailler comme un apprenti et Mrs. Masterton condescendit à lui parler pendant les intervalles de son dur labeur.

« Il faut tout faire par soi-même, c'est l'unique moyen... A propos, il paraît que vous êtes un ami des Eliot ? »

Poirot avait séjourné assez longtemps en Angleterre pour savoir que c'était là un brevet d'adoption : la phrase de Mrs Masterton signifiait, en clair : « Bien que vous soyez étranger, j'ai appris que vous étiez *un des nôtres* ! »

Aussi continua-t-elle à parler intimement :

« Il est heureux que *Nasse* soit à nouveau habité. Nous redoutions que l'on n'en fît un hôtel ! Vous savez ce qu'il en est de nos jours. On traverse une région et l'on ne voit que des pancartes : *Maison des Hôtes, Hôtel privé* ou *Hôtel Select* dûment patenté. Et les propriétés sont celles où l'on était invité par des amis étant jeune. C'est fort triste ! Oui, je suis ravie au sujet de celle-ci et la pauvre Amy Folliat aussi, bien sûr ! Elle a eu une existence si lamentable sans jamais se plaindre ! Sir George a fait des merveilles ici et n'a rien rendu vulgaire. J'ignore si l'influence d'Amy en est cause, ou si cela vient de son goût à lui... car il en a beaucoup, ce qui est tout à fait curieux chez un homme de son milieu.

— J'ai cru comprendre, dit Poirot prudemment, qu'il n'est pas de vieille noblesse ?

— Il ne s'appelle même pas Sir George ! C'est son nom de baptême, je crois. C'est assez amusant. Bien entendu, nous n'avons jamais rien laissé voir. Il faut permettre leurs petits travers aux hommes riches. Ce qu'il y a, d'ailleurs, de curieux, c'est que George Stubbs est à sa place partout et est le type accompli du gentilhomme XVIIIe siècle. A mon avis, son père devait être noble et sa mère fille d'auberge. »

Mrs. Masterton s'interrompit pour crier à un jardinier :

« Pas près du rhododendron ! Il faut laisser de la place aux quilles sur la droite… *droite, pas gauche !* »

Elle reprit :

« Curieux qu'ils ne puissent distinguer leur gauche de leur droite ! Miss Brewis est très entendue… mais elle n'aime guère la pauvre Hattie et a souvent l'air de vouloir l'étrangler ! Il y a tant de secrétaires qui sont amoureuses de leurs patrons ! Où peut bien être Jim Warburton ? La rage qu'il a de se faire appeler « capi-« taine » est ridicule. Il n'a jamais été militaire et n'a pas vu un seul Allemand ! Il faut se résigner quand on a un bon employé… c'est un gros travailleur, mais je trouve qu'il y a, en lui, quelque chose d'équivoque… Ah ! voici le ménage Legge ! »

Peggy, en pantalon et pull-over, annonça gaiement :

« Nous sommes venus vous aider !

— Il y a un travail fou ! Voyons ce que vous pouvez faire d'abord… »

Poirot, profitant de cet intermède, s'éloigna; il tourna au coin de la maison et fut témoin d'un nouveau drame !

Deux jeunes femmes, vêtues de shorts et de blouses aux couleurs vives, sortaient du bois et regardaient d'un air inquiet. Poirot crut reconnaître l'Italienne à laquelle il avait offert, la veille, une place dans l'auto. Sir George, penché à la fenêtre de la chambre de sa femme, apostropha sèchement les touristes :

« Vous n'avez pas le droit de venir ici !

— S'il vous plaît ? répondit l'une d'elles.

— Défendu de passer par là ! Propriété privée ! »

La seconde s'écria :

« Siou plaît ! Quai de Nassecombe, c'est-il ici ?

— Non ! Retournez en arrière ! Arrière ! »

Sir George gesticulait et elles le dévisageaient. Puis elles échangèrent un torrent de paroles italiennes et celle qui avait un foulard bleu demanda :

« Partir pour hôtel ?

— Oui, puis vous prendrez la route... *la route* de l'autre côté ! »

Elles se détournèrent d'un air vexé. Stubbs s'épongea le front, regarda Poirot et lui dit :

« Je passe mon temps à renvoyer ces gens ! Ils venaient d'abord par la grille qui est au fond et je l'ai fait cadenasser. Maintenant, ils franchissent le treillage et traversent les bois en s'imaginant qu'ils atteindront le quai... c'est exact, mais il n'y a pas de droit de passage. Ils sont tous étrangers, ne comprennent rien et baragouinent, en hollandais, à mon avis.

« Parmi les deux touristes qui étaient là, l'une est Française et l'autre Italienne... J'avais rencontré celle-ci, hier, en venant de la gare.

— Oh ! elles parlent n'importe quelle langue... Que dites-vous, Hattie ? »

Stubbs se retourna et rentra dans la chambre.

Mrs. Oliver et une forte fille de quatorze ans, vêtue en guide, s'approchèrent de Poirot ; la romancière annonça :

« Voici Marlène. »

Celle-ci ricana. Poirot s'inclina et Mrs. Oliver reprit :

« C'est la victime.

— Oui, je suis l'affreux *cadavre* ! Mais il n'y aura

pas de sang sur moi, ajouta la grosse fille d'un air de regret.

— Vraiment ?

— Non. Je serai simplement étranglée par une corde. J'aurais préféré être poignardée et couverte de peinture rouge !

— Le capitaine Warburton a pensé que ce serait trop effrayant, expliqua Mrs. Oliver.

— Quand il s'agit d'un crime, il doit y avoir du sang », reprit Marlène boudeuse… Elle regarda avidement Poirot et ajouta :

« Vous avez vu des masses de cadavres, à ce qu'elle dit ?

— Un ou deux, répondit modestement le spécialiste qui s'aperçut avec effroi que Mrs. Oliver s'éloignait.

— Figurez-vous, reprit Marlène, que je crois qu'il y a un meurtrier par ici : mon grand-père a vu un corps dans le bois, il y a quelque temps. L'a eu peur et s'est sauvé et quand il est revenu, le corps, celui d'une femme, n'y était plus. Mais mon grand-père l'est piqué et personne n'écoute ce qu'il dit. »

Poirot parvint à s'échapper, rentra par-derrière et se réfugia dans sa chambre. Il avait besoin de repos !

Chapitre 6

Le déjeuner se composa de plats froids et fut rapidement expédié. Une demi-vedette de cinéma devait ouvrir les réjouissances à deux heures trente. Le temps qui avait paru menaçant s'améliora et, dès trois heures, la fête battait son plein. Les visiteurs arrivaient nombreux et des autos stationnaient d'un côté de la grande avenue. Des étudiants venant de l'Auberge de Jeunesse formaient des groupes et causaient à voix très haute en langues étrangères. Ainsi que Mrs. Masterton l'avait prédit, Lady Stubbs était sortie de sa chambre, à deux heures et demie précises, vêtue d'une ample robe mauve et coiffée d'un gigantesque chapeau en paille noire ; de nombreux joyaux ornaient son cou, ses bras, ses mains.

Miss Brewis murmura avec ironie :

« Elle se croit dans la tribune royale aux courses, je suppose. »

Mais Poirot complimenta la jeune femme :

« Quelle ravissante toilette, madame !

— Elle est gentille, n'est-ce pas ? Je l'ai portée à Ascot. »

Mais l'actrice arrivait et Lady Stubbs alla au-devant d'elle.

Poirot se mit à errer sans but précis. Tout lui paraissait se dérouler normalement : Sir George présidait gaiement un tir aux noix de coco, un jeu de quilles et un « youpa-là ». Divers comptoirs offraient des légumes, des fruits, des confitures, des gâteaux, d'autres étaient chargés de bibelots. Il y avait des loteries de cakes et de paniers pleins de fruits, voire de plus gros lots, un cochon, notamment, une pêche miraculeuse était réservée aux enfants.

Parmi ceux-ci, une représentation de danses costumées était en cours. Poirot ne vit pas Mrs. Oliver, mais aperçut Lady Stubbs qui se promenait à travers les divers groupes. Toutefois, la personne la plus recherchée lui parut être Mrs. Folliat qui, transformée par une élégante robe de foulard bleu, coiffée d'un chapeau gris fort chic, présidait à tout, recevait les arrivants et leur indiquait les diverses attractions.

Poirot s'approcha d'elle pour écouter les conversations.

« Cher Amy, comment vous portez-vous ?

— Ah ! Paméla ! comme vous êtes gentille d'être venue et Edouard aussi ! Tiverton est vraiment loin !

— Le temps se montre clément à votre égard. Vous souvenez-vous de l'année avant la guerre ? L'orage a éclaté juste à quatre heures et a tout fait rater !

— Oui, mais, cette année, l'été n'a pas cessé d'être beau. O Dorothy, il y a un siècle que je ne vous ai pas vue !

— Nous avons tenu à venir voir *Nasse* dans sa splendeur. Je constate que vous avez fait couper les roseaux du bord de l'eau.

— Oui, les hortensias sont plus en valeur. Ne trouvez-vous pas ?

— Ils sont superbes ! Quel beau bleu ! Ma chère, vous

avez fait des miracles en un an ! *Nasse* reprend son allure d'autrefois. »

Le mari de Dorothy dit d'une voix de basse :

« Je suis venu voir le commandant pendant la guerre... Ce souvenir me brise le cœur ! »

Mrs. Folliat se détourna pour accueillir une personne plus modeste :

« Je suis heureuse de vous voir, Mrs. Knapper. Est-ce Lucy ? Comme elle a grandi !

— Elle quittera l'école l'année prochaine. Bien contente de vous trouver si bonne mine, madame.

— Merci. Oui, je me porte très bien. Lucy, va tenter ta chance au youpa-là. Je vous reverrai tout à l'heure dans la tente du thé, Mrs. Knapper, car je dois aider à servir. »

Un homme âgé, Knapper sans doute, murmura timidement :

« Sommes heureux de vous revoir à *Nasse*, madame. On pense aux jours d'autrefois. »

La réponse de Mrs. Folliat fut noyée par les effusions de deux femmes et d'un gros homme rougeaud, qui se précipitaient vers elle :

« Amy chérie ! Une éternité que nous ne t'avons rencontrée. Cette kermesse paraît être un énorme succès ! Dis-moi ce que tu as fait dans la roseraie. Muriel m'a affirmé que tu l'as garnie avec les dernières nouveautés ? »

Le gros homme interrompit :

« Où est Marylin Gale ?

— Reggie meurt d'envie de la rencontrer ; il a vu son dernier film.

— Ce doit être elle, coiffée de ce grand chapeau ? Tudieu, quelle toilette !

— Voyons, chéri, c'est Hattie Stubbs. Amy, tu ne devrais pas lui permettre de s'habiller comme un mannequin !

— Amy ? »

Une autre femme saisissait le bras de la vieille dame.

« Voici Roger, le fils d'Edouard. Chère, c'est délicieux de vous retrouver à *Nasse*. »

Poirot s'éloigna lentement et prit sans y réfléchir un billet qui pouvait lui faire gagner le cochon. Le refrain : *Comme vous êtes gentils d'être venus*, lui parvenait encore aux oreilles. Il se demandait si Mrs. Folliat se rendait compte à quel point elle s'était octroyé le rôle de maîtresse de maison, ou si elle agissait inconsciemment. Ce jour-là, elle était nettement la châtelaine de *Nasse*.

Il se trouvait devant la tente à l'extérieur de laquelle on lisait : *Mme Zuleika vous dévoilera votre avenir pour trente francs*. On n'y faisait plus queue, le goûter commençant d'être servi à côté. Poirot baissa la tête, entra, paya volontiers sa quote-part pour le simple plaisir de s'asseoir.

Mme Zuleika était vêtue d'une longue robe noire, une écharpe dorée lui entourait la tête et un voile lui couvrait la partie inférieure du visage, ce qui étouffait quelque peu sa voix. Un bracelet d'or auquel de nombreux fétiches étaient attachés tintait à son bras. Elle saisit la main de Poirot, lui prédit beaucoup d'argent à venir, le succès auprès d'une belle brune et un accident auquel il échapperait miraculeusement.

« Tout cela est fort agréable, répondit-il. Je regrette seulement que ce ne soit pas vrai.

— Oh ! dit Peggy. Vous m'avez donc reconnue ?

— Mrs. Oliver m'avait mis au courant. Elle m'a dit que vous deviez, d'abord, être le *cadavre*, mais qu'on avait préféré vous changer en voyante.

— Je regrette la première incarnation. J'aurais été bien plus tranquille ! C'est la faute de Jim Warburton ! Est-il quatre heures ? Je veux mon thé et j'ai une pause de quatre heures à la demie.

— Il s'en faut de dix minutes, répondit Poirot en consultant sa vieille montre-gousset. Voulez-vous que j'aille vous chercher une tasse de thé ?

— Non, non. J'ai besoin de répit. Cette tente est trop chaude. Y a-t-il encore beaucoup de clients qui attendent ?

— Non. Je crois qu'ils font la queue pour goûter.

— Parfait. »

Poirot sortit et fut immédiatement harponné par une femme énergique qui lui fit payer cinq francs pour deviner le poids d'un gâteau. Après quoi, dans un autre jeu, il gagna une grosse poupée, et tandis qu'il s'éloignait assez gêné, il rencontra Michaël Weyman, assis au bord d'un chemin conduisant au quai.

« Vous paraissez vous amuser, Mr. Poirot, dit l'architecte en riant.

— Elle est affreuse, n'est-ce pas ? » répondit-il en contemplant la poupée.

Puis, un enfant s'étant mis à pleurer, il la lui mit dans les bras au moment où Warburton annonçait dans un mégaphone :

« Concours de costumes d'enfants. Première série, de trois à cinq ans. En rang, s'il vous plaît ! »

Poirot se rapprochait de la maison lorsqu'il fut cogné par un jeune homme qui reculait pour viser une noix de coco et qui portait la chemise décrite par Sir George : toutes les variétés de tortues et de monstres marins semblaient y ramper.

La jeune Hollandaise qu'il avait convoyée la veille l'accosta et il lui demanda :

« Vous avez pu venir à la fête ? Et votre amie ?

— Oh ! elle venir aussi, mais moi pas l'avoir encore vue. Nous partir par le bus à cinq heures quinze, jusqu'à Torquay où moi prendre un autre pour Plymouth. C'est commode être. »

Poirot s'expliqua pourquoi elle ployait sous la charge d'un sac à dos. Il reprit :

« J'ai vu votre amie ce matin.

— Oui. Elsa, une Allemande avec elle était. Elle les vouloir passer par les bois pour aller au quai et à l'eau. Le monsieur qui la maison possède très en colère et les chasser... »

Elle tourna la tête vers l'endroit où Sir George attirait les concurrents vers un jeu et ajouta :

« Mais à présent, lui très poli. »

Poirot s'apprêtait à lui expliquer qu'il existait une différence entre les jeunes personnes qui n'avaient aucun droit de passage dans une propriété privée et les mêmes autorisées, après paiement, à jouir de la kermesse. Mais Warburton et son mégaphone l'en empêchèrent. Le capitaine avait chaud et paraissait ennuyé.

« Avez-vous vu Lady Stubbs ? Elle devait juger le concours de costumes et je ne la trouve nulle part.

— Je l'ai vue... voyons, il y a environ une

demi-heure. Mais, depuis, je suis allé me faire dire la bonne aventure.

— Maudite créature ! reprit Warburton, furieux. Où peut-elle être ? Les enfants attendent et nous sommes déjà en retard sur notre horaire. »

Il regarda autour de lui et ajouta :

« Où est Amanda Brewis ? »

Celle-ci n'était pas visible non plus.

« C'est trop fort ! Il faut être épaulé quand on tente de diriger une fête. Où peut bien être Hattie ? Peut-être est-elle rentrée dans la maison… »

Il s'éloigna rapidement.

Poirot se glissa vers l'espace entouré de cordes où l'on servait le thé sous une grande tente ; mais il y avait une énorme queue et il se décida à revenir plus tard. Il regarda le comptoir d'objets divers où une vieille dame essaya de lui vendre une boîte à cols en matière plastique et parvint enfin à gagner un endroit d'où il pouvait avoir une vue d'ensemble de la fête.

Il se demandait où était Mrs. Oliver quand un bruit de pas lui fit tourner la tête. Un jeune homme arrivait par le sentier qui conduisait au quai ; très brun, il était fort élégamment vêtu d'un costume de yacht. Le tableau qui se déroulait devant lui parut le déconcerter et il s'arrêta, puis il s'adressa à Poirot en hésitant :

« Veuillez m'excuser ; est-ce bien ici la maison de Sir George Stubbs ?

— Certainement, répondit son interlocuteur qui ajouta : seriez-vous le cousin de Lady Stubbs ?

— Je m'appelle Etienne de Sousa.

— Et moi, Hercule Poirot. »

Tous deux s'inclinèrent et Poirot expliqua au nouveau venu qu'il arrivait en pleine kermesse de charité. Comme il terminait, Sir George traversa la pelouse et s'approcha.

« De Sousa ? Ravi de vous voir. Hattie a reçu votre lettre ce matin. Où est votre yacht ?

— Ancré à Helmmouth. Je suis venu jusqu'au quai dans mon canot à pétrole.

— Il faut que nous cherchions Hattie. Elle est quelque part dans le jardin. J'espère que vous dînerez avec nous ce soir ?

— Vous êtes fort aimable.

— Pouvons-nous vous offrir l'hospitalité ?

— Cette offre est tout à fait charmante, mais je coucherai à bord ; ce sera plus simple.

— Resterez-vous longtemps dans les parages ?

— Deux ou trois jours, cela dépendra.

— Je suis certain que ma femme va être ravie. Mais où est-elle ? Je l'ai aperçue. Il n'y a qu'un instant… »

Stubbs regarda autour de lui d'un air perplexe et reprit :

« Elle devrait être occupée à juger le concours de costumes enfantins. Excusez-moi un instant. Je vais m'informer auprès de Miss Brewis… »

Il s'éloigna en hâte et l'étranger le suivit des yeux. Poirot demanda :

« Vous n'avez pas vu votre cousine récemment ? »

Etienne de Sousa haussa les épaules.

« Pas depuis qu'elle avait quinze ans. Peu après, on l'a envoyée en pension dans un couvent, à Paris. Etant fillette, elle promettait d'être jolie », acheva-t-il en regardant Poirot d'un air interrogateur.

« C'est une femme superbe.

— Et ce monsieur est son mari ? Il me paraît être ce qu'on appelle « un brave type », pas très distingué d'ailleurs, Hattie ne pouvait sans doute pas faire mieux… »

Poirot prit une attitude poliment étonnée. L'autre se mit à rire.

« Oh ! ce n'est pas un secret ! A quinze ans, Hattie était peu développée intellectuellement, faible d'esprit, comme on dit. Est-elle toujours pareille ?

— En apparence tout au moins, répondit prudemment Poirot.

— Ah bien. En somme, pourquoi exiger qu'une femme soit intelligente ? Ce n'est pas nécessaire. »

Sir George revenait, en grognant, accompagné de Miss Brewis qui lui parlait d'une voix essoufflée.

« J'ignore où elle est. La dernière fois que je l'ai aperçue, elle se trouvait près de la tente de la devineresse. Mais il y a au moins vingt minutes ou une demi-heure. Elle n'est pas dans la maison.

— Lady Stubbs ne serait-elle pas allée voir où en est la course au crime de Mrs. Oliver ? » suggéra Poirot.

Le visage de Stubbs se dérida.

« C'est probable. Mais je ne puis abandonner les jeux que je dirige et Amanda est surchargée ! Vous serait-il possible de faire un tour, Poirot ? Vous connaissez l'itinéraire ? »

Le criminologiste l'ignorait, mais Miss Brewis lui fournit quelques indications :

« Passez par le court de tennis, le jardin des camélias, *La Folie*, l'enclos des boutures et la remise à bateaux… »

Lorsque Poirot longea le jeu de massacre, il

remarqua avec ironie que Sir George offrait des balles avec le plus aimable sourire à la jeune Italienne qu'il avait chassée le matin et que ce changement d'attitude paraissait étonner. En arrivant au court de tennis, il n'y trouva qu'un vieux monsieur qui dormait à poings fermés, son chapeau enfoncé sur les yeux. Poirot rebroussa chemin et se dirigea vers le jardin des camélias. Mrs. Oliver, vêtue de rouge, était assise dans un fauteuil d'osier et avait l'air inquiet. Elle lui fit signe d'approcher.

« Voici seulement le second indice, souffla-t-elle. Je crains qu'ils ne soient trop difficiles, car personne n'est encore venu... »

Au même instant, un jeune homme en short, à la pomme d'Adam proéminente, se montra, poussa un cri de triomphe, courut vers un arbre et clama sa joie. En croisant Poirot et Mrs. Oliver, il leur cria gaiement :

« Beaucoup de gens ignorent les chênes-lièges ! Le premier indice consistait en une photographie adroitement présentée, mais j'ai reconnu un filet de tennis. Il y avait une bouteille de poison et un bouchon. La plupart des concurrents chercheront la fiole, mais j'ai deviné que c'était un trompe-l'œil. Les chênes-lièges sont rares dans ce pays ! Toutefois, je m'intéresse aux plantes exotiques... Seulement, où faut-il aller maintenant ? »

Il étudia en fronçant les sourcils le carnet qu'il tenait à la main.

« J'ai copié l'indice suivant, mais je ne vois pas... Est-ce que vous cherchez aussi ? » ajouta-t-il en les dévisageant d'un air soupçonneux.

« Oh ! non, répondit la romancière. Nous regardons, voilà tout.

— Parfait : *Quand une jolie femme incline vers la folie...* Il me semble avoir déjà entendu cette phrase...

— C'est une citation bien connue » dit Poirot et Mrs. Oliver ajouta :

« Une Folie peut être aussi une construction... blanche et ornée de piliers.

— Quelle bonne idée ! Merci mille fois. On dit que Mrs. Ariane Oliver est par ici ? Je voudrais lui demander un autographe. L'auriez-vous vue par hasard ?

— Non, répondit celle-ci.

— J'aimerais la connaître. Elle écrit de fameuses histoires ! Mais on prétend qu'elle boit comme un trou », ajouta-t-il en baissant la voix.

Il partit en courant et Mrs. Oliver, indignée, s'écria :

« Par exemple ! Quelle injustice, alors que je ne bois que de la limonade !

— N'avez-vous pas été injuste aussi en donnant une indication à ce garçon ?

— Comme il est le seul à avoir compris jusqu'ici, j'ai jugé qu'il méritait un encouragement.

— Cependant, vous n'avez pas voulu lui donner d'autographe !

— C'est différent... Chut ! Voici quelqu'un d'autre. »

Mais ce n'étaient pas des concurrents. Deux femmes qui avaient payé leur entrée étaient décidées à en avoir pour leur argent en visitant la propriété tout entière. Mais elles avaient chaud et étaient désappointées. L'une d'elles déclara :

« Je pensais qu'il y aurait de belles corbeilles de fleurs. Mais non, des arbres, encore des arbres. Je n'appelle pas cela un jardin. »

Mrs. Oliver donna un coup de coude à Poirot et tous deux s'éclipsèrent.

« Qu'arrivera-t-il si personne ne découvre la victime ? demanda la romancière.

— Patience et courage, madame. La journée n'est pas achevée.

— C'est vrai, répondit-elle avec espoir. Puis, après quatre heures trente, le prix d'entrée sera baissé de moitié et il est probable que les gens accourront en masse. Allons voir comment la jeune Marlène se tire de son rôle. Je n'ai guère confiance en elle car elle ne se rend pas compte de sa responsabilité. Je ne serais pas étonnée si elle oubliait son rôle et allait goûter... Vous savez combien les Anglais tiennent à leur thé ! »

Les deux amis continuèrent à longer le sentier et Poirot éleva une critique contre le parc.

« Je trouve cette propriété mal dessinée. Il y a tellement de chemins qu'on ne sait jamais où l'on va... sans compter une abondance d'arbres.

— Vous parlez comme la femme désappointée que nous avons entendue tout à l'heure. »

Ils passèrent devant *La Folie* et empruntèrent le sentier en zigzag qui conduisait à la rivière. Au-dessous d'eux, on apercevait la remise à bateaux.

« Ce serait gênant, fit observer Poirot, si les concurrents arrivaient là par hasard et y trouvaient le cadavre.

— Par un raccourci ? J'y avais pensé. C'est pourquoi le dernier indice se compose simplement d'une clé sans laquelle on ne peut ouvrir la porte qui est munie d'une serrure Yale et qui ne s'ouvre que de l'intérieur. »

Une rampe escarpée menait à la porte de la remise qui

était construite sur la rivière, comportait un petit wharf et, au-dessous, un espace où loger les embarcations. Mrs. Oliver prit une clé dans sa poche et ouvrit…

« Nous sommes venus vous distraire, Marlène », annonça-t-elle gaiement.

Elle éprouvait quelque remords car la fillette jouait son rôle en conscience, étendue qu'elle était sous la fenêtre. Elle ne répondit pas, ne bougea pas davantage et le vent, qui soufflait grâce à la fenêtre ouverte, agita une pile de journaux illustrés posée sur la table.

« Parfait ! reprit Mrs. Oliver avec impatience. Il n'y a que Mr. Poirot et moi. Personne n'a encore déchiffré les indices… »

Son compagnon fronçait les sourcils. Il l'écarta doucement, se pencha sur le corps, étouffa un cri, regarda Mrs. Oliver et dit :

« Ce que vous aviez prévu est arrivé…

— Quoi ? répondit-elle, les yeux exorbités. Ce n'est pas possible ! *Elle n'est pas morte ?*

— Si… et il n'y a pas longtemps.

— Mais comment ? »

Poirot souleva le coin du foulard de couleur vive qui entourait les extrémités d'une cordelette.

« Comme je l'avais imaginé ! balbutia-t-elle. *Mais qui et pourquoi ?*

— Voilà la question ! » répliqua le criminologiste.

Chapitre 7

L'inspecteur de police Bland était assis derrière une table dans le bureau de Sir George. Celui-ci l'avait, dès son arrivée, emmené jusqu'à la remise à bateaux et venait de rentrer avec lui. Ils avaient laissé derrière eux les photographes et le service préposé aux empreintes digitales.

« Screz-vous bien ici ? interrogea Stubbs.

— Parfaitement, monsieur. Merci.

— Que dois-je faire au sujet de la kermesse ? Donner des ordres pour y mettre fin ? »

L'inspecteur réfléchit un instant.

« Quelles mesures avez-vous déjà prises à cet égard ?

— Aucune. Le bruit qu'un accident s'est produit paraît s'être répandu, sans plus. Je ne crois pas qu'on soupçonne qu'il s'agit de… d'un meurtre.

— Alors, laissez les choses en l'état. On l'apprendra bien assez tôt. »

Bland garda encore le silence un instant, puis demanda :

« Combien de personnes sont rassemblées chez vous, à votre avis ?

— Environ deux cents et il en arrive d'autres à chaque instant. Les gens paraissent être venus de loin et la fête avait un succès fou ! Quel malheur ! »

L'inspecteur pensa, non sans raison, que les derniers mots de Sir George s'appliquaient au crime et non à la réussite de la kermesse. Il dit d'un ton pensif :

« Deux cents personnes… et chacune d'elles pourrait être coupable. »

Il soupira et Stubbs répondit avec sympathie :

« C'est bien compliqué. Toutefois, je ne m'explique pas pourquoi on a voulu assassiner cette fille-là ! Cela paraît invraisemblable.

— Pouvez-vous me fournir des renseignements à son sujet ? Elle habitait le village, je pense ?

— Oui. Ses parents occupent un des cottages qui sont près du quai. Son père travaille dans une des fermes voisines… chez Patterson, je crois. La mère est venue à la kermesse. Miss Brewis – ma secrétaire, qui pourra beaucoup mieux vous renseigner que moi – a emmené cette femme à l'écart et lui fait boire du thé.

— Très bien, approuva l'inspecteur. Toutefois, Sir George, je n'ai pas encore compris de quoi il s'agissait. Que faisait cette enfant dans la remise ? On m'a dit qu'une course à l'assassin ou au trésor était en train ? »

Stubbs acquiesça.

« Oui. Nous avions tous trouvé l'idée excellente… Il n'en est plus de même à présent… Je crois que Miss Brewis vous expliquera tout plus clairement que je ne pourrais le faire. Voulez-vous que je vous l'envoie ? A moins que vous ne désiriez me poser d'abord d'autres questions ?

— Pas pour l'instant ; plus tard sans doute. J'aurai à interroger diverses personnes : vous-même, Lady Stubbs et celles qui ont trouvé le corps. D'après ce que j'ai compris, l'une d'elles est une romancière qui avait préparé cette… course au meurtre ?…

— En effet : Mrs. Oliver, Ariane Oliver. »

Bland leva les sourcils.

« Comment, c'est elle ? J'ai lu plusieurs de ses livres qui ont beaucoup de succès.

— Elle est assez bouleversée en ce moment, ce qui paraît normal. Je vais lui dire que vous voulez lui parler. J'ignore où est ma femme qui semble avoir disparu dans la foule… Elle ne pourra pas vous apprendre grand'chose au sujet de la victime ou du reste… Qui désirez-vous voir en premier ?

— Peut-être votre secrétaire et, ensuite, la mère de la jeune fille. »

Sir George acquiesça et sortit de la pièce. Le policier du village, Robert Hoskins, lui avait ouvert la porte et la referma derrière lui. Il déclara alors, comme pour appuyer une phrase de Sir George :

« Lady Stubbs manque un peu de… (Il se frappa le front.) C'est pour cela que son mari a dit qu'elle ne serait d'aucune aide.

— A-t-il épousé une personne des environs ?

— Non. Une étrangère. Certains disent qu'elle a du sang noir, mais je ne le crois pas. »

Bland garda le silence un moment et dessina vaguement sur la feuille de papier placée devant lui. Puis il demanda :

« Quel est le coupable, Hoskins ? »

Il estimait que le *policeman*, qui était curieux, s'intéressait à tout et à tous, était le mieux placé pour avoir une idée valable. De plus, sa femme était assez cancanière et le tenait certainement au courant des événements locaux.

« Un étranger, je pense. Sûrement pas quelqu'un du pays. Les Tucker sont de braves gens, très convenables. Ils ont neuf enfants. Les deux filles aînées sont mariées, un des garçons est dans la marine, l'autre fait son service, une fille travaille chez un coiffeur à Torquay. Il y a encore trois jeunes enfants avec les parents… aucun n'est très malin, mais Mrs. Tucker tient admirablement son intérieur ; elle était la plus jeune de onze gosses et son vieux père habite chez elle. »

Bland avait écouté en silence. Hoskins reprit :

« C'est pourquoi je dis que l'assassin n'est pas du pays. Peut-être un des types qui s'arrêtent à l'hôtel de Hoodown. Il y en a de drôles et il s'y passe de tout ! On ne sait jamais avec les étrangers ! Ils peuvent devenir mauvais d'une minute à l'autre ! »

L'inspecteur soupira et pensa que le problème n'était pas facile, bien que son subordonné jugeât commode d'incriminer un « étranger ». A ce moment, le médecin légiste entra.

« J'ai procédé à mon premier examen, annonça-t-il. Puis-je faire emporter le corps ? Les experts ont fini aussi.

— Le sergent Cottrill va s'occuper du transport, répondit Bland. Eh bien ! docteur, que concluez-vous ?

— Crime aussi simple que possible : elle a été étranglée avec une corde à linge et ne s'est même pas débattue. A mon avis, elle était morte avant même de savoir qu'on l'attaquait.

— Aucun signe d'autres violences ?

— Pas le moindre d'aucune espèce.

— A quelle heure situez-vous la mort ? »

Le médecin consulta sa montre et la compara avec une pendule.

« Il est cinq heures et demie à présent et j'ai vu le cadavre à cinq heures vingt. Mettons entre quatre heures et cinq heures moins vingt. Je vous aviserai si l'autopsie m'éclaire davantage. Maintenant, il faut que je me sauve. »

Il sortit et l'inspecteur pria Hoskins d'aller chercher Miss Brewis dont l'entrée le rasséréna un peu ; en effet, il estima tout de suite qu'elle était intelligente et lui fournirait des indications précises. En s'asseyant, Miss Brewis déclara :

« Mrs. Tucker est dans mon bureau. Je lui ai appris la nouvelle et donné un cordial. Bien entendu, elle est bouleversée. Elle voulait voir le corps, mais je l'en ai dissuadée. Tucker quitte son travail à six heures et devait rejoindre sa femme ici. J'ai donné des instructions pour qu'on guette son arrivée et qu'on me l'amène aussitôt. Les plus jeunes enfants sont encore à la fête, mais quelqu'un les surveille.

— C'est parfait, approuva Bland. Avant de causer avec Mrs. Tucker, j'aimerais savoir ce que Lady Stubbs et vous pouvez m'apprendre. »

Miss Brewis répondit d'un ton sec :

« J'ignore où est Lady Stubbs. Je suppose qu'elle s'est ennuyée et qu'elle est allée se promener ; je ne pense pas, du reste, qu'elle puisse mieux vous renseigner que moi. Que désirez-vous savoir exactement ?

— Connaître tous les détails concernant cette course

à l'assassin et comment cette jeune Marlène Tucker y a pris part ?

— C'est très facile. »

Miss Brewis exposa succinctement et clairement l'idée de créer une attraction originale, l'invitation adressée à Mrs. Oliver, la célèbre romancière, pour qu'elle inventât un plan et le résultat qui s'en était suivi.

« Tout d'abord, continua Miss Brewis, c'était Mrs. Alex Legge qui devait jouer le rôle de victime.

— Qui est-ce ? » interrogea l'inspecteur.

Hoskins répliqua :

« Mr. et Mrs. Legge ont loué le cottage Lawder et sont arrivés il y a un mois pour tout l'été.

— Je vois. Pourquoi cette dame n'a-t-elle pas joué le rôle de la victime ?

— Un soir, elle nous a dit la bonne aventure et s'est montrée si habile qu'on s'est décidé à lui confier une attraction nouvelle. Costumée en Orientale, elle se ferait appeler Mme Zuleika et ferait payer ses horoscopes. Ce n'est pas illégal, n'est-ce pas, inspecteur ? On le fait souvent dans les fêtes de charité. »

Bland sourit un peu.

« En général, nous fermons les yeux !

— Donc, Mrs. Legge a accepté cette mission et il nous a fallu trouver quelqu'un d'autre comme victime. Les scouts nous prêtaient leur concours et quelqu'un a eu l'idée de demander à l'une d'elles d'entrer dans le jeu.

— Qui est-ce qui a fait cette proposition ?

— Je ne sais trop... il me semble que c'était Mrs. Masterton, la femme du membre du Parlement...

Ou, peut-être, le capitaine Warburton. Je ne saurais l'affirmer, mais quelqu'un a eu cette idée.

— Pourquoi a-t-on choisi la jeune Tucker ? Y avait-il une raison spéciale ?

— N... Non, je ne crois pas. Ses parents sont locataires d'une maison appartenant à Sir George et sa mère vient quelquefois aider la cuisinière. Je suppose que son nom nous est venu à l'esprit. Nous l'avons pressentie et elle a été enchantée.

— Vraiment enchantée ?

— Oh ! oui ; je crois qu'elle était flattée. C'était une fille assez amorphe qui eût été incapable de jouer un rôle dans une comédie. Mais ce qu'elle avait à faire était très simple ; alors, elle a été ravie d'être remarquée.

— Que devait-elle faire ?

— Rester dans la remise à bateaux et, si elle entendait quelqu'un approcher de la porte, se coucher sur le plancher, se mettre la corde autour du cou et faire la morte... »

Miss Brewis parlait d'un ton précis et calme. Le fait que la jeune fille qui devait jouer un rôle de victime avait véritablement été retrouvée morte, ne paraissait pas l'émouvoir.

« Cette manière de passer l'après-midi au lieu d'assister à la fête était plutôt pénible pour cette petite, fit observer l'inspecteur.

— Probablement ; mais on ne peut tout avoir, répondit Miss Brewis. Or, Marlène se réjouissait de jouer les victimes, ce qui lui donnait de l'importance. Pour se distraire, on lui avait apporté une masse de journaux.

— Et aussi de quoi manger, ajouta Bland. J'ai remarqué qu'il y avait un plateau là-bas.

— Oui. Une grande assiette de petits fours et du sirop de framboise. Je les lui avais portés moi-même. »

L'inspecteur leva vivement la tête.

« Vous-même ? A quel moment ?

— Vers le milieu de l'après-midi.

— Pouvez-vous préciser l'heure exacte ? »

Miss Brewis réfléchit un instant.

« Voyons… On jugeait les déguisements enfantins et il y avait eu un léger retard car Lady Stubbs était absente… Mais Mrs. Folliat l'a remplacée et tout s'est arrangé… Donc, il devait être… oui, j'en suis à peu près sûre, quatre heures cinq quand j'ai choisi les gâteaux et versé le sirop.

— Vous avez ensuite emporté le plateau. A quelle heure êtes-vous arrivée à la remise ?

— Il faut environ cinq minutes… je pense qu'il était quatre heures un quart.

— Et Marlène Tucker était vivante ?

— Je crois bien ! Elle était même fort anxieuse d'apprendre comment se déroulait la course à l'assassin. Je n'ai pu la renseigner, car j'avais été trop occupée par les autres attractions, sur la pelouse. Toutefois, je savais qu'au moins vingt ou trente personnes s'étaient fait inscrire pour concourir et, sans doute, davantage.

— Comment avez-vous trouvé Marlène quand vous êtes arrivée auprès d'elle ?

— Je vous l'ai déjà expliqué !

— Non ! je veux savoir si elle était étendue quand vous avez ouvert la porte ?

— Oh ! non, car je l'avais appelée avant d'arriver. Elle m'a ouvert et j'ai posé le plateau sur la table.

— Donc, écrivit Bland, à quatre heures un quart, Marlène Tucker était vivante et en parfaite santé. Vous devez comprendre, Miss Brewis, que ce détail est fort important. Etes-vous très sûre de l'heure ?

— Non, parce que je n'ai pas regardé ma montre, mais je l'avais consultée peu avant et je ne puis être plus précise... »

Elle se rendit compte soudain du motif qui faisait parler le policier et s'écria :

« Voulez-vous dire que peu après... ?

— En tout cas, pas bien longtemps.

— Oh ! mon Dieu ! », répondit-elle avec effroi.

Bland reprit :

« Pendant votre trajet jusqu'à la remise et pendant celui du retour, avez-vous rencontré quelqu'un ? »

Miss Brewis réfléchit.

« Non. Pourtant, aujourd'hui, le parc est libre d'accès, mais les gens ont tendance à rester sur la pelouse et autour des comptoirs. Ils se promènent un peu dans les serres ou les potagers, mais ne se dirigent pas vers les bois comme je l'aurais cru. Dans les fêtes de ce genre, les spectateurs ont plutôt envie de se grouper... Pourtant, je crois me souvenir qu'il y avait quelqu'un dans *La Folie*.

— *La Folie ?*

— Oui, c'est une sorte de petit temple qui a été érigé il y a un an ou deux ans. Il s'élève sur la droite du sentier qui conduit à la rivière. Il y avait sûrement quelqu'un... un couple d'amoureux, je pense, car j'ai entendu rire, puis une autre voix a dit : « Chut ! »

— Vous ne savez pas qui c'était ?

— Je n'en ai aucune idée. On ne peut voir à l'intérieur depuis le sentier. »

L'inspecteur réfléchit un instant, mais il ne lui sembla pas vraisemblable que ce couple – quel qu'il fût – eût une importance sérieuse. Toutefois, il valait mieux peut-être savoir de qui il s'agissait, car ces deux personnes pouvaient avoir remarqué des allées et venues en direction de la remise.

« Vous êtes bien sûre de n'avoir croisé personne ? insista-t-il.

— Je comprends très bien ce à quoi vous pensez, répondit Miss Brewis. Toutefois, si quelqu'un s'était trouvé là et avait voulu se dissimuler, rien ne lui eût été plus facile que de se glisser derrière les rhododendrons qui bordent le chemin des deux côtés… »

Bland entama un autre sujet.

« Pouvez-vous me donner, au sujet de la jeune fille elle-même, des renseignements utiles ?

— Je ne sais rien, répondit Miss Brewis et, avant les préparatifs de la fête, je ne crois pas lui avoir jamais parlé. Je l'avais rencontrée, et la connaissais vaguement de vue, voilà tout… Je ne comprends pas pourquoi on pouvait désirer la tuer et il me semble qu'il n'y a qu'une seule explication plausible : un cerveau dérangé a voulu faire d'elle une véritable victime. Mais cela semble à la fois invraisemblable et stupide. »

Bland soupira.

« Je ferais bien de parler avec sa mère. »

Mrs. Tucker était une femme maigre, au visage en lame de couteau, aux cheveux blonds rares, au nez pointu. Ses yeux étaient rougis par les larmes, mais elle s'était ressaisie et se montrait prête à répondre aux questions de l'inspecteur.

« Une chose pareille ne devrait pas arriver ! dit-elle. On en lit de semblables dans les journaux, mais quand je pense que notre Marlène en est victime !

— Je suis tout à fait désolé, répondit doucement Bland. Je vous demande de bien réfléchir et de m'apprendre si quelqu'un avait une raison de faire du mal à votre enfant ?

— J'y ai déjà pensé, murmura Mrs. Tucker en reniflant un peu, mais je n'y comprends rien. De temps en temps, Marlène répondait à l'institutrice, en classe, et se disputait avec ses camarades, mais rien de sérieux d'aucun côté et personne ne lui en voulait. Elle disait quelquefois des bêtises, mais pour parler de fards et de permanentes et de ce qu'elle voudrait faire à sa figure. Son père et moi nous lui disions qu'elle était trop jeune, mais quand elle avait un peu d'argent, elle s'achetait du rouge, du parfum et les cachait ! »

Bland acquiesça d'un signe. Cela ne l'avançait guère. Une adolescente plutôt sotte qui rêvait de vedettes de cinéma et de succès ! Marlène Tucker n'était pas un exemplaire unique !

« Que va dire son papa ? reprit Mrs. Tucker. Il va arriver d'une minute à l'autre et il espère s'amuser ! Il est très fort pour atteindre les noix de coco ! »

Elle s'interrompit et se mit à sangloter.

« Si vous voulez mon opinion, c'est un de ces vilains étrangers qui a fait le coup ! On ne sait jamais à quoi s'en tenir avec ces gens-là ! Il y en a qui parlent gentiment, mais ils portent des chemises avec des femmes en bikinis, comme on dit, imprimées dessus ! C'est à n'y pas croire ! »

Mrs. Tucker, toujours en larmes, fut escortée hors de la pièce par Hoskins, et Bland pensa que l'opinion du village était unanime pour attribuer le crime à des « étrangers », ce qui n'avait rien de nouveau.

Chapitre 8

Elle a une langue pointue, déclara Hoskins en revenant. Elle harcèle son mari et martyrise son vieux père. Je pense qu'elle a dû secouer sa fille de temps en temps et que ça l'ennuie à présent ! Du reste, ce que disent leurs mères ne frappe guère les jeunesses... »

L'inspecteur coupa court à ces considérations et dit à son subordonné d'aller chercher Mrs. Oliver. Quand elle entra, Bland fut quelque peu saisi. Il ne s'attendait pas à voir une personne aussi corpulente, vêtue d'un costume aussi rouge et si totalement bouleversée.

« Je me sens affreusement coupable ! s'écria-t-elle en se laissant choir sur la chaise placée en face de Bland, affreusement ! Vous comprenez, c'est *mon crime* ! J'en suis l'auteur ! »

L'inspecteur, stupéfait, crut un instant que Mrs. Oliver avouait. Elle reprit en passant les mains au milieu de sa belle coiffure compliquée, d'un geste saccadé qui lui donna l'aspect d'une ivrognesse :

« Je ne comprends pas pourquoi je voulais que la victime fût l'épouse yougoslave d'un savant atomiste ! C'était absolument ridicule. Cela aurait pu être aussi bien le jardinier en second qui n'en était pas un, ce qui n'aurait pas eu la même importance, car en somme la plupart des hommes sont capables de se protéger et cela m'eût été complètement égal ! Quand on tue des hommes, personne ne s'émeut... sauf leurs veuves, leurs fiancées, leurs enfants et la famille... »

L'inspecteur commençait à juger Mrs. Oliver fort injustement et son impression était fortifiée par une vague odeur de cognac. A leur retour dans la maison, Hercule Poirot avait tenu à faire absorber ce remède à sa vieille amie.

Elle devina ce que pensait Bland et déclara aussitôt :

« Je ne suis pas folle et je ne suis pas ivre, mais il est probable que cet individu qui affirme que je bois comme un trou vous a convaincu.

— Quel individu ? demanda le policier qui passait du jardinier en second à ce personnage anonyme et n'y comprenait plus rien.

— Il a des taches de rousseur et l'accent du Yorkshire, répondit Mrs. Oliver. Mais, je le répète, je ne suis ni ivre ni folle. Je suis bouleversée. Absolument bouleversée, conclut-elle avec force.

— Je suis certain, madame, que l'événement a dû vous être pénible.

— Pourquoi a-t-on tué cette enfant, inspecteur ?

— J'espérais, répondit Bland, que vous pourriez m'aider à le découvrir.

— Non, car je ne puis imaginer une raison ! Certes, je serais capable d'en fabriquer une et même de lui donner de la vraisemblance, mais ce ne serait pas exact. Je pourrais dire, par exemple, que le coupable aimait à tuer les jeunes filles... mais ce serait trop simple et, d'ailleurs, comment expliquer sa présence à la fête ? Et comment aurait-il su que Marlène se trouvait dans la remise ? Elle pouvait connaître un secret au sujet d'une intrigue cachée… ou avoir vu quelqu'un enterrer un cadavre la nuit, ou reconnaître une personne qui dissimulait sa véritable identité… ou savoir à quel endroit un trésor avait été enfoui pendant la guerre… Ou encore, l'homme qui arrivait en canot à pétrole pouvait avoir jeté un corps dans la rivière et la petite avait, de la fenêtre, assisté au drame. Il est encore possible qu'elle ait intercepté un message en langage secret sans en comprendre le sens.

— Je vous en prie ! » dit Bland en levant la main.

Il avait le vertige.

Mrs. Oliver se tut aussitôt. Pourtant, il était évident qu'elle eût pu continuer sur le même thème pendant un moment encore, bien qu'il semblât à l'inspecteur qu'elle avait envisagé toutes les solutions vraisemblables ou autres. Parmi ces richesses, il retint une phrase.

« Que vouliez-vous dire, madame, en parlant de l'homme au canot ? Existe-t-il simplement dans votre imagination ?

— Quelqu'un m'a dit qu'il était arrivé par ce moyen, je ne me souviens pas qui : il s'agissait du monsieur dont nous parlions au petit déjeuner…

— Je vous en prie », répéta Bland. Il ne s'était jamais demandé auparavant sous quel aspect se présentaient les auteurs de romans policiers, mais il savait que Mrs. Oliver en avait publié plus de quarante. En cet instant, il s'étonnait que son œuvre ne s'élevât pas à cent cinquante livres au moins. « Que signifie cette histoire d'homme arrivé en canot pour le petit déjeuner ? interrogea-t-il vivement.

— Il n'est pas arrivé à ce moment-là en canot, mais dans un yacht. Ou plutôt non… c'était une lettre.

— Une lettre ou un yacht ?

— Une lettre pour Lady Stubbs, écrite par un cousin sur un yacht, et elle a eu peur.

— Peur ? De quoi ?

— Du cousin, je suppose. C'était visible. Elle était terrifiée, ne voulait pas le voir et je crois que c'est pour cette raison qu'elle se cache.

— Elle se cache ?

— En tout cas, tout le monde la cherche et on ne la trouve pas. A mon avis, je pense qu'elle tient à l'éviter.

— Mais quel est ce personnage ?

— Vous feriez mieux de demander à Mr. Poirot, car il lui a parlé. Il s'appelle Esteban… Non, je me trompe, c'était dans mon roman. Il se nomme Etienne de Sousa. »

Toutefois, un autre nom avait retenu l'attention de l'inspecteur.

« Vous avez dit Mr. Poirot ?

— Oui, Hercule Poirot. Il était avec moi quand nous avons trouvé le corps.

— Hercule Poirot… Je me demande si c'est le même ? Est-il petit, de nationalité belge et a-t-il une grosse moustache ?

— Une énorme moustache. Oui. Le connaissez-vous ?

— Je l'ai rencontré il y a de longues années. J'étais jeune sergent à l'époque.

— Vous vous occupiez tous deux d'un crime ?

— Oui. Que fait-il ici ?

— Il devait remettre les récompenses... »

Mrs. Oliver avait légèrement hésité avant de répondre, mais l'inspecteur ne s'en était pas aperçu.

« Il était avec vous quand vous avez découvert le corps... Hum ! j'aimerais causer avec lui.

— Voulez-vous que je vous l'envoie ? demanda Mrs. Oliver en rassemblant ses voiles flottants.

— Vous n'avez rien de plus à nous dire qui puisse nous éclairer ?

— Je ne crois pas. Je ne sais rien, bien que je puisse supposer... »

Bland l'interrompit, car il ne désirait pas écouter un nouveau chapelet de solutions imaginaires. Elles le déroutaient par trop !

« Merci infiniment, madame, dit-il vivement. Je vous serais fort obligé si vous priiez Mr. Poirot de venir me parler ici. »

La romancière quitta la pièce et Hoskins demanda avec un intérêt marqué :

« Qui est ce Mr. Poirot, chef ?

— Vous le trouverez peut-être ridicule, car il a l'air d'une caricature française de music-hall. En réalité, il est belge et fort intelligent. Il ne doit plus être jeune.

— Est-ce que vous croyez, reprit le *policeman*, que ce de Sousa soit intéressant ? »

L'inspecteur ne l'écoutait pas, frappé qu'il était par un fait dont on lui avait parlé plusieurs fois, mais qui commençait seulement à l'intéresser : tout d'abord, il se rappelait Sir George, irrité et inquiet : « Ma femme semble avoir disparu, et je ne sais où elle est. » Puis, Miss Brewis, dédaigneuse : « Lady Stubbs doit s'être ennuyée. » Et maintenant, Mrs. Oliver déclarait que la maîtresse de maison devait se cacher...

« Que disiez-vous ? » demanda-t-il d'un ton distrait.

Hoskins s'éclaircit la voix :

« Je voulais savoir si ce de Sousa pourrait être à rechercher ? »

Il était ravi de pouvoir soupçonner un étranger déterminé. Mais l'esprit de l'inspecteur suivait une autre idée.

« Je veux voir Lady Stubbs, déclara-t-il brusquement. Allez la chercher tout de suite. »

Le *constable,* un peu étonné, obéit. Sur le seuil, il s'écarta pour laisser entrer Hercule Poirot et le regarda avec curiosité avant de refermer le battant.

« Je suppose, dit l'inspecteur en se levant et en tendant la main, que vous ne vous souvenez pas de moi, monsieur Poirot ?

— Mais si ! Voyons, il y a, attendez une minute... quatorze ans, non, quinze ans, que j'ai rencontré le jeune sergent Bland.

— C'est exact. Quelle mémoire !

— Il est normal, puisque vous vous souvenez de moi, que je me souvienne aussi de vous. »

Bland pensa qu'il serait malaisé d'oublier Hercule Poirot, mais ce pour des raisons qui n'étaient pas toutes admiratives.

« Donc, dit-il tout haut, vous voici encore mêlé à un crime ?

— Vous avez raison. J'ai été appelé pour y assister.

— Y assister ? » répéta l'inspecteur d'un air perplexe.

Poirot se hâta d'expliquer :

« C'est-à-dire qu'on m'a prié de venir donner les récompenses après la course à l'assassin.

— C'est ce que m'a dit Mrs. Oliver.

— Elle ne vous a rien dit d'autre ? » demanda Poirot d'un air indifférent. En réalité, il voulait savoir si la romancière avait laissé entendre à Bland la raison pour laquelle elle l'avait appelé.

« Rien d'autre ? Juste ciel ! elle n'a pas cessé de parler et m'a énuméré tous les motifs qui ont pu conduire à l'assassinat de cette jeune fille, qu'ils soient possibles ou impossibles ! Ma tête tournait ! Quelle imagination elle a !

— C'est grâce à cette imagination qu'elle gagne sa vie, mon ami, répliqua Poirot assez sèchement.

— Elle m'a cité un nommé de Sousa. Est-ce un personnage imaginaire ?

— Non. Il existe.

— Il s'agissait d'une lettre à l'heure du déjeuner, d'un yacht et d'un trajet en canot automobile. Je n'y ai rien compris ! »

Le criminologiste décrivit la scène et Bland reprit :

« Mrs. Oliver déclare que Lady Stubbs avait peur. Est-ce votre opinion ?

— Oui.

— Pourquoi redoutait-elle l'arrivée de ce cousin ? »

Poirot haussa les épaules.

« Je l'ignore. Elle m'a simplement dit que c'était un méchant homme. Vous savez qu'elle n'est pas tout à fait normale ?

— Oui, cette opinion semble générale par ici. Elle ne vous a pas dit la raison de sa frayeur ?

— Non.

— Mais avait-elle vraiment peur ?

— S'il en est autrement, c'est une merveilleuse actrice.

— Je commence à avoir des idées bizarres au sujet de cette affaire », déclara Bland qui se leva et se mit à marcher dans la pièce avec nervosité. « C'est la faute de cette maudite femme !

— Mrs. Oliver ?

— Oui. Elle m'a suggéré un tas d'idées mélodramatiques.

— Et vous estimez qu'elles peuvent être exactes ?

— Pas toutes, évidemment, mais quelques-unes peuvent être moins extraordinaires qu'elles n'en ont l'air. Tout dépend... »

Il s'interrompit, car la porte s'ouvrait et Hoskins entrait.

« Je ne puis trouver cette dame nulle part, chef, annonça-t-il.

— On me l'a déjà dit, riposta l'inspecteur agacé. Mais je vous ai dit de découvrir où elle est.

— Le sergent Farrell et le *constable* Lorimer fouillent le parc. Elle n'est pas dans le château.

— Demandez à l'homme qui fait payer les entrées si elle a quitté la propriété, soit à pied, soit en voiture.

— Bien, chef. »

Hoskins s'éloigna et Bland lui cria :

« Tâchez de savoir où et quand elle a été vue pour la dernière fois !

— C'est cette piste que vous suivez ? demanda Poirot.

— Je n'en suis encore aucune, mais il est évident que

cette femme qui devrait être ici n'y est pas ; je veux savoir pourquoi. Donnez-moi quelques renseignements sur ce de Sousa ? »

Poirot lui décrivit sa rencontre avec le jeune homme qui arrivait du quai.

« Il est probablement encore à la kermesse, ajouta-t-il. Voulez-vous que je dise à Sir George de vous l'envoyer ?

— Pas tout de suite. Je voudrais d'abord, en savoir un peu plus long. Quand avez-vous vu Lady Stubbs pour la dernière fois ? »

Poirot réfléchit, mais ses souvenirs étaient confus. Il avait vaguement aperçu la haute taille drapée dans sa robe claire, le visage ombragé par les bords du grand chapeau noir et avait, par instants, entendu l'étrange rire sonore de la jeune femme qui dominait le tumulte confus de la foule.

« Je crois, répondit-il en hésitant, que c'était un peu avant quatre heures.

— A quel endroit était-elle et avec qui ?

— Au milieu d'un groupe, près de la maison.

— Y était-elle encore lorsque de Sousa est arrivé ?

— Je ne me souviens pas, mais je ne crois pas et je ne l'ai pas vue. Sir George a dit au jeune homme que sa femme ne devait pas être loin. Il a paru surpris qu'elle ne soit pas occupée à juger les déguisements enfantins.

— A quelle heure de Sousa est-il arrivé ?

— Environ quatre heures et demie. Je n'ai pas regardé ma montre et ne puis préciser.

— Lady Stubbs avait disparu avant ?

— C'est probable.

— Peut-être s'est-elle enfuie pour ne pas le voir ?

— Impossible, reconnut Poirot.

— Elle ne peut être allée bien loin, reprit Bland. Nous devons la retrouver facilement et alors…

— Et si vous ne la retrouvez pas ? demanda Poirot d'un ton étrange.

— C'est impossible ! répliqua l'inspecteur. Pourquoi en serait-il ainsi ? Que supposez-vous ? »

Son interlocuteur haussa les épaules.

« On ne peut conjecturer. Tout ce dont nous sommes sûrs c'est qu'elle a… disparu.

— Voyons, Mr. Poirot, vous semblez sinistre !

— Tout peut l'être…

— Mais c'est de la mort de Marlène Tucker que nous nous occupons !

— Certes… Alors, pourquoi vous intéressez-vous tant à de Sousa ? Supposez-vous qu'il ait tué cette enfant ? »

L'inspecteur répondit d'un air distrait :

« C'est la faute de cette femme !

— Mrs. Oliver ? interrogea Poirot en souriant.

— Oui. Vous comprenez, l'assassinat de la jeune Tucker n'est pas logique : voilà une gamine quelconque, plutôt amorphe, que l'on trouve étranglée sans qu'il y ait l'ombre d'une raison pour ce crime.

— Et Mrs. Oliver vous en a suggéré une ?

— Une bonne douzaine ! Entre autres, que Marlène pouvait être au courant d'une mystérieuse intrigue amoureuse ou qu'elle pouvait avoir assisté à un crime ou qu'elle pouvait, de la fenêtre, avoir vu de Sousa se livrer à une action répréhensible…

— Ah ! Et quelle idée vous séduit parmi toutes celles-là, mon cher ?

— Je ne sais… mais je ne puis m'empêcher d'y songer. Ecoutez, Mr. Poirot, et rappelez vos souvenirs : d'après l'impression que vous avez gardée concernant les paroles prononcées par Lady Stubbs ce matin, pouvait-elle redouter l'arrivée de son cousin pour une des deux raisons suivantes : Mr. de Sousa était au courant d'un détail de son passé qu'elle tenait à cacher à son mari ou elle avait peur de voir ce parent lui-même ? »

Poirot n'hésita pas :

« Elle avait peur de lui !

— Hum ! répondit Bland. Je ferai bien de causer avec ce jeune homme. »

Chapitre 9

1

Bien qu'il ne partageât pas les préventions du *constable* Hoskins contre les étrangers, l'inspecteur éprouva tout de suite une vive antipathie pour Etienne de Sousa. L'élégance de celui-ci, le parfum de ses cheveux bien coiffés et l'aisance de ses manières agacèrent Bland. De plus, et tout en la voilant, il laissait paraître une certaine ironie.

« Il faut admettre, déclara-t-il, que la vie est pleine d'imprévus : j'arrive ici au cours d'une croisière de vacances, j'admire le ravissant paysage, je viens passer l'après-midi avec une petite cousine perdue de vue depuis des années… et que se produit-il ? Pour commencer, je tombe au milieu d'une espèce de mascarade, des noix de coco sont lancées autour de ma tête, puis immédiatement après, je suis mêlé à un crime ! »

Il alluma une cigarette, lança un nuage de fumée et ajouta :

« Certes, cet assassinat ne me concerne en rien… de sorte que je ne comprends pas pourquoi vous désirez me questionner.

— Vous êtes étranger au pays, monsieur.

— Les étrangers sont-ils donc nécessairement suspects ?

— Du tout... vous ne comprenez pas ce que je veux dire : j'ai cru comprendre que votre yacht a jeté l'ancre à Helmmouth ?

— C'est exact.

— Vous êtes venu en canot automobile le long de la rivière ?

— Encore exact.

— Pendant ce trajet, avez-vous remarqué, sur votre droite, un petit embarcadère qui avance dans l'eau, est couvert de chaume et comprend un quai ? »

Etienne de Sousa renversa sa belle tête brune et la réflexion lui fit froncer les sourcils.

« Attendez... j'ai vu une crique et une petite maison grise...

— Plus haut dans la rivière, parmi des arbres ?

— Ah ! oui, je me souviens ! L'endroit était fort pittoresque. J'ignorais que cette propriété comportât un débarcadère. Sans quoi, je m'y serais arrêté. Quand j'ai demandé où aller, on m'a dit de gagner le bac et de descendre à terre en cet endroit.

— Bien. L'avez-vous fait ?

— Certainement.

— Vous n'avez pas atterri près de ce débarcadère ? »

Sousa fit un signe négatif.

« Y avez-vous aperçu quelqu'un en passant ?

— Non. Pourquoi ?

— Vous comprenez, monsieur, la victime se trouvait là cet après-midi, elle y a été tuée à peu près au moment où vous passiez... »

Le jeune homme fronça de nouveau les sourcils.

« Vous supposez que j'aurais pu être témoin de ce crime ?

— Il a été commis à l'intérieur de la construction, mais vous auriez pu voir la jeune fille si elle s'était penchée à la fenêtre ou était sortie sur le balcon. En ce cas, nous pourrions mieux préciser l'heure du meurtre, car elle était encore vivante au moment de votre passage...

— Je comprends... Mais pourquoi est-ce moi que vous interrogez ? Il ne manque pas de bateaux allant à Helmmouth et en descendant, notamment des yachts de plaisance. Pourquoi ne faites-vous pas une enquête auprès d'eux ?

— Nous la ferons, soyez tranquille. Donc, vous n'avez rien remarqué d'anormal dans cette remise à bateaux ?

— Absolument rien. Je n'ai même pas eu l'idée qu'il s'y trouvait quelqu'un. Evidemment, je n'ai pas fait grande attention et je ne suis pas passé très près. On pouvait regarder par la fenêtre, ainsi que vous le dites, mais je n'ai vu personne. Je regrette vivement, conclut-il poliment, de ne pouvoir vous être utile.

— Nous ne pouvons trop espérer, répondit Bland. Mais je désirerais vous demander quelques autres détails.

— Lesquels ?

— Etes-vous seul ou des amis font-ils cette croisière avec vous ?

— J'en ai eu au début mais, depuis trois jours, je suis seul... avec mon équipage, bien entendu.

— Comment s'appelle votre yacht ?

— *L'Espérance*.

— Donc, Lady Stubbs est votre cousine ? »

Le jeune homme haussa les épaules.

« Cousine éloignée. Vous comprenez, dans les îles on se marie beaucoup entre parents, de sorte que nous sommes tous plus ou moins cousins les uns des autres. Hattie l'est pour moi au second ou troisième degré ; je ne l'ai plus vue depuis qu'elle avait quatorze ou quinze ans.

— Et vous avez eu l'idée de lui faire une visite surprise aujourd'hui ?

— Oh ! pas une surprise, inspecteur. Je lui avais écrit.

— Je sais, en effet, qu'elle a reçu une lettre de vous ce matin, mais elle a été tout étonnée d'apprendre que vous étiez en Angleterre.

— Vous vous trompez, inspecteur. Je lui ai écrit... voyons, il y a trois semaines, de France, juste avant de venir par ici. »

Bland fut stupéfait.

« Vous l'avez prévenue que vous comptiez passer la voir ?

— Oui. Je lui ai expliqué que je faisais une croisière, que j'arriverais probablement à Torquay ou à Helmmouth vers la date où nous sommes et que je lui indiquerais le jour exact. »

L'inspecteur dévisagea son interlocuteur, car sa déclaration différait totalement de ce qu'on lui avait dit au sujet de la lettre reçue au courrier ce matin-là. Plus d'un témoin avait affirmé que Lady Stubbs s'était montrée effrayée et manifestement prise de court. De Sousa croisa, sans se troubler, son regard avec celui du policier et fit, d'une chiquenaude, tomber un grain de poussière de son pantalon, en souriant. Bland reprit :

« Votre cousine a-t-elle répondu à votre première lettre ? »

Le jeune homme hésita un instant, puis dit :

« Je ne me souviens pas… je ne crois pas. Ce n'était, du reste, pas nécessaire ; je voyageais et n'avais pas d'adresse fixe. D'ailleurs, je ne pense pas que ma cousine Hattie soit très bonne correspondante… Elle n'est pas fort intelligente, mais il paraît qu'elle est devenue très belle.

— Vous ne l'avez pas encore vue ? »

De Sousa sourit.

« Elle semble être absente. Peut-être que cette espèce de gala l'ennuie ! »

L'inspecteur répondit en choisissant ses mots avec soin :

« Avez-vous, monsieur, une raison de penser que Lady Stubbs puisse ne pas désirer vous voir ?

— Ne pas désirer me voir ? Je ne vois pas pourquoi ! Quel motif aurait-elle de m'éviter ?

— C'est ce que je vous demande.

— Vous croyez qu'elle s'est éloignée afin de ne pas me rencontrer ? C'est absurde !

— Vous ignorez qu'elle puisse… disons avoir peur de vous ?

— Peur de moi ? (Sousa parlait d'un ton à la fois sceptique et ironique.) C'est ridicule !

— Vos rapports ont toujours été amicaux ?

— Mais je vous ai déjà dit que je n'en ai jamais eu de suivis et que c'était une enfant quand je l'ai perdue de vue.

— Pourtant, vous avez voulu la voir en venant ici ?

— J'avais lu un article à son sujet dans un de vos journaux mondains. On y donnait son nom de jeune fille et l'on annonçait son mariage avec ce riche Anglais. J'ai pensé que je pouvais voir ce qu'était devenue la petite Hattie et si son cerveau s'était développé. »

Il haussa les épaules et ajouta :

« Simple curiosité de famille, sans plus. »

L'inspecteur dévisagea de nouveau le jeune homme. Que cachait son attitude calme et moqueuse ? Il adopta un ton plus confidentiel.

« Pourriez-vous me communiquer quelques renseignements au sujet de votre cousine ? Me parler de son caractère et de ses réactions ? »

De Sousa parut étonné.

« Quel rapport cela pourrait-il avoir avec l'assassinat du débarcadère dont je crois que vous vous occupez ?

— Il pourrait en exister un... »

Etienne regarda l'inspecteur pendant un moment sans parler, puis il leva un peu les bras et répondit :

« Je n'ai jamais bien connu Hattie ; elle appartenait à une nombreuse famille et je ne m'intéressais pas spécialement à elle. Toutefois, en réponse à votre question, je ne crois pas qu'elle ait présenté d'inclination vers l'assassinat.

— Oh ! Monsieur, je n'imaginais rien de semblable !

— Vraiment ? Pourtant, à quoi tendait votre question ? Non, à moins qu'elle n'ait changé du tout au tout, Hattie n'a rien d'une meurtrière. »

Il se leva et conclut :

« Je pense que vous n'avez rien de plus à me demander, inspecteur ? Il ne me reste donc qu'à vous souhaiter le plus grand succès dans votre enquête.

— J'espère que vous ne quitterez pas Helmmouth avant un ou deux jours, monsieur ?

— Vous êtes fort courtois... mais est-ce un ordre ?

— Une prière tout au plus.

— Merci. Je compte rester à Helmmouth pendant deux jours. Sir George m'a aimablement demandé de m'installer chez lui, mais je préfère rester à bord de *L'Espérance*. Si vous désiriez m'interroger davantage, c'est là que vous me trouveriez. »

Il s'inclina poliment. Hoskins lui ouvrit la porte et il sortit.

« C'est un type mielleux, murmura Bland. En admettant que sa cousine soit encline au meurtre, pourquoi a-t-elle attaqué cette fille anodine ? Ce n'est pas logique.

— On ne sait jamais avec les toquées, observa Hoskins.

— Est-elle vraiment toquée ? Trouve-t-elle amusant ou utile d'entourer le cou de quelqu'un d'une corde et de l'étrangler ? Puis, où diable est-elle ? Allez voir si Frank a un indice. »

Hoskins ne tarda pas à reparaître en compagnie du sergent Cottrell, jeune homme énergique, très content de lui et qui avait le don d'exaspérer son supérieur. Bland préférait de beaucoup la sagacité paysanne du *constable* Hoskins à l'attitude suffisante de Frank Cottrell.

« On cherche encore dans la propriété, déclara celui-ci. Nous sommes sûrs que cette dame n'a pas franchi la grille. Le jardinier en second s'y trouve ; il distribue les entrées, les fait payer et jure que Lady Stubbs n'est pas sortie.

— Je suppose qu'il existe d'autres issues que la porte principale ?

— Oh ! oui : le sentier qui conduit au bac... mais le vieux Bardle, qui y est de faction, déclare aussi que la dame n'est pas partie de ce côté. Il est très âgé, mais sérieux et m'a décrit fort clairement l'arrivée du monsieur étranger qui était dans un canot et lui a demandé où était *Nasse House*. Bardle lui a répondu qu'il fallait longer la route jusqu'à la grille et payer un droit d'entrée. Mais l'inconnu ne paraissait pas savoir qu'on donnait une fête et a dit qu'il était parent des propriétaires. Alors, le vieux lui a montré le sentier qui traverse le bois. Bardle est resté près du quai tout l'après-midi et eût sûrement vu Lady Stubbs si elle était sortie. Il y a aussi la barrière qui mène à Hoodown Park en passant par les champs ; mais elle a été barrée par des fils de fer à cause des gens qui la franchissaient... donc, ce n'est encore pas cette issue que la dame a empruntée. Il semble qu'elle soit encore dans la propriété.

— Possible, déclara l'inspecteur. Toutefois, rien ne l'a empêchée de se glisser sous un fil de fer et de s'éloigner. Sir George se plaint encore que les gens de l'Auberge de jeunesse entrent chez lui. Or, si l'on peut entrer, on doit pouvoir sortir !

— Certes, chef. Seulement, j'ai interrogé la femme de chambre de Lady Stubbs. Celle-ci portait... (Il consulta un papier.) Une robe en crêpe Georgette, un grand chapeau noir, des escapins vernis ayant des talons

Louis XV de dix centimètres de haut. On ne s'habille pas ainsi pour courir la campagne !

— Elle n'a pas changé de toilette ?

— Non. J'ai demandé à la femme de chambre. Rien ne manque, ni un vêtement, ni même une mallette ; tous les souliers sont là aussi. »

L'inspecteur Bland fronça les sourcils, car des hypothèses pénibles se présentaient à son esprit. Il ordonna sèchement :

« Allez chercher la secrétaire ! »

2

Miss Brewis entra, l'air plus énervé qu'à l'ordinaire et quelque peu essoufflée.

« Vous me demandez, inspecteur ? Si ce n'est pas urgent, je voudrais retourner auprès de Sir George qui est dans un état affreux et…

— A quel sujet ?

— Il vient seulement de se rendre compte que Lady Stubbs a… disparu. Je lui ai dit qu'elle était probablement allée faire une promenade dans les bois, mais il est persuadé qu'il lui est arrivé malheur. C'est insensé !

— Peut-être pas tellement. En somme, nous avons déjà eu un crime aujourd'hui.

— Vous ne supposez pas que Lady Stubbs ? … C'est ridicule ! Elle est fort capable de veiller sur elle-même !

— Vraiment ?

— Bien sûr. Ce n'est pas une enfant !

— Mais elle est un peu désarmée, je crois ?

— Allons donc ! Il lui plaît, de temps à autre, de jouer les faibles d'esprit quand elle ne veut rien faire. Son mari s'y laisse prendre, mais *pas moi* !

— Vous ne semblez pas l'aimer beaucoup ? » dit Bland qui parut assez frappé.

Miss Brewis serra les lèvres.

« Je n'ai ni à l'aimer, ni à la détester », répliqua-t-elle.

La porte s'ouvrit violemment et Stubbs entra.

« Ecoutez ! cria-t-il, il faut que vous agissiez ! Où est Hattie ? Trouvez-la ! Je me demande ce qui se passe ici. Cette maudite fête a permis à un maniaque du crime d'entrer en payant et de passer l'après-midi à tuer les gens ! Voilà mon avis !

— Je ne crois pas que nous puissions voir la situation sous une couleur aussi sombre.

— C'est fort bien pour vous qui êtes tranquillement assis là. Mais moi, je veux retrouver ma femme !

— Je fais fouiller la propriété, Sir George.

— Pourquoi ne m'a-t-on pas prévenu qu'elle avait disparu ? Il paraît qu'on ne l'a plus vue depuis deux heures au moins ! J'ai trouvé curieux qu'elle ne soit pas venue juger le concours des déguisements d'enfants, mais personne ne m'a avoué qu'elle était partie !

— Nul ne le savait, répondit Bland.

— Quelqu'un aurait dû s'en apercevoir ! »

Il se tourna vers Miss Brewis.

« Vous auriez pu le savoir, Amanda, vous étiez chargée de la surveillance générale !

— Je ne puis être partout en même temps, murmura

la secrétaire qui parut prête à pleurer. J'ai tant de choses à vérifier ! S'il a plu à Lady Stubbs de s'en aller...

— S'en aller ? pour quelle raison ? Elle n'en avait aucune, à moins qu'elle n'ait voulu éviter ce métèque... »

Bland saisit la balle au bond.

« Je voulais vous demander ceci : Lady Stubbs a-t-elle reçu, il y a environ trois semaines, une lettre de Mr. de Sousa, lui annonçant qu'il allait venir en Angleterre ? »

Sir George parut étonné.

« Non, sûrement pas.

— Vous en êtes certain ?

— Absolument. Elle m'en eût parlé. Au contraire, elle a été tout à fait bouleversée en recevant une lettre de lui ce matin. Elle en a même contracté une migraine qui l'a tenue au lit presque toute la matinée.

— Que vous a-t-elle dit au sujet de cette visite ? Pourquoi redoutait-elle tant de voir son cousin ? »

Le mari parut embarrassé.

« Je n'en sais trop rien. Elle répétait qu'il avait des défauts.

— Lesquels ?

— Elle ne s'expliquait guère, mais ressassait, comme une enfant, qu'il était très méchant et qu'elle déplorait qu'il vînt ici. Elle affirmait qu'il avait fait du mal.

— Quand cela ?

— Oh ! il y a longtemps. Je suppose que cet Etienne de Sousa était la brebis galeuse de la famille et que ma femme en avait entendu parler dans son enfance sans très bien comprendre. Aussi lui faisait-il peur. J'ai supposé qu'il s'agissait d'un cauchemar puéril, elle est, parfois, un peu enfantine, a des sympathies, des antipathies et ne peut les expliquer.

— Vous êtes sûr, Sir George, qu'elle n'est entrée dans aucun détail ? »

Stubbs sembla gêné.

« Je ne voudrais pas que vous... fassiez état de ses paroles...

— Donc elle a précisé ?

— Bon... je vais vous le dire. Elle a répété plusieurs fois : *Il tue les gens* ! »

Chapitre 10

1

Il tue les gens ! répéta l'inspecteur.

— Je ne crois pas que vous deviez prendre cette phrase au tragique, répondit Sir George. Ma femme la répétait, mais n'a pu me dire ni quelle était la personne qu'il avait tuée, ni où, ni quand. J'ai supposé qu'elle gardait un vague souvenir d'enfant… révolte d'indigène ou autre.

— Ne *pouvait-elle*, ou ne *voulait-elle* pas préciser ?

— Je ne pense pas, je n'en sais rien, vous me troublez ! Je n'ai pas pris la chose au sérieux et j'ai pensé que ce cousin l'avait taquinée lorsqu'elle était enfant, ou quelque chose de semblable. Je ne puis mieux m'expliquer, parce que vous ne connaissez pas ma femme. Je l'aime beaucoup, mais la plupart du temps, je n'écoute pas ce qu'elle dit, car cela n'a aucun sens. Du reste, ce de Sousa ne peut être mêlé en rien à toute cette affaire ! Ne cherchez pas à me faire croire qu'il a débarqué d'un yacht, a traversé le bois pour aller assassiner une malheureuse fille dans cette remise ! Dans quel but ?

— Je ne vous suggère rien de semblable, répondit Bland. Toutefois, rendez-vous compte qu'en recherchant le meurtrier de Marlène Tucker, mon champ est *limité*.

— Limité ? s'écria Stubbs. Vous avez le choix parmi

tous ceux qui ont assisté à cette exécrable fête ! Deux ou trois cents personnes ! N'importe laquelle a pu tuer !

— Je l'ai cru, tout d'abord, mais ce que j'ai appris depuis a modifié mes idées. La porte de la construction est munie d'une serrure *Yale*, nul ne pouvait donc entrer sans clé.

— Il en existe trois.

— En effet. L'une d'elles servait de dernier indice pour la course au meurtre ; elle est toujours cachée dans l'allée des hortensias, tout à fait en haut du jardin. La seconde est aux mains de Mrs. Oliver, qui a organisé la course. Où est la troisième, Sir George ?

— Elle devrait se trouver dans le tiroir du bureau devant lequel vous êtes assis, inspecteur. Non, celui de droite, en compagnie d'une quantité d'autres clés de la propriété. »

Stubbs s'approcha de la table, fouilla le tiroir et annonça :

« Oui, la voici.

— Vous comprenez ce que cela prouve ? reprit Bland. Les seules personnes qui ont pu pénétrer dans la remise sont : d'abord le concurrent qui eût trouvé la solution du problème et découvert la clé-indice. Mais rien de tel n'est arrivé. Ensuite, Mrs. Oliver ou tout autre habitant du château auquel elle l'eût prêtée. Enfin, *quelqu'un que Marlène elle-même aurait fait entrer.*

— Cette dernière hypothèse me paraît désigner bien des gens.

— Pas du tout. Si j'ai bien compris, quand la jeune fille entendait approcher quelqu'un, elle devait s'allonger, jouer le rôle de victime et attendre l'entrée de la personne ayant trouvé le dernier indice, à savoir la clé. Vous pouvez donc vous rendre compte que les seuls auxquels elle eût ouvert devaient lui parler de l'extérieur et se faire reconnaître, *c'est-à-dire les organisateurs du jeu*. Par conséquent, vous-même, Sir George, Lady Stubbs, Miss Brewis, Mrs. Oliver... peut-être Mr. Poirot que Marlène avait vu dans la matinée. Qui pourrait-il y avoir de plus ?»

Stubbs réfléchit un instant.

«Le ménage Legge, qui s'est occupé de la kermesse dès le début et Michaël Weyman, un architecte qui est en séjour ici pour faire les plans d'un pavillon de tennis. Puis Warburton, les Masterton... et, bien entendu, Mrs. Folliat.

— C'est tout ?

— Oui.

— Vous constaterez donc que le champ n'est pas très vaste, Sir George ?»

Celui-ci devint écarlate.

«J'estime que vous dites des bêtises, de grosses bêtises ! Insinuez-vous... qu'insinuez-vous au juste ?

— Ceci : nous ignorons encore bien des choses. Il est possible, par exemple, que Marlène soit sortie de la remise, qu'elle ait même pu être étranglée ailleurs, que son corps ait été ramené et disposé sur le plancher. Toutefois, là encore, le meurtrier était au courant de tous les détails de la course. Nous y revenons sans cesse...»

Bland ajouta d'un ton un peu plus sec :

«Je vous assure, Sir George, que nous faisons de notre mieux pour retrouver Lady Stubbs. En attendant, je désire causer avec Mr. et Mrs. Legge et Mr. Weyman.

— Amanda ! cria Stubbs.

— Je vais m'en occuper, répondit Miss Brewis. Je suppose que Mrs. Legge dit toujours la bonne aventure dans sa tente. Depuis que le prix d'entrée a été diminué, à cinq heures, des masses de gens sont entrés et toutes les baraques sont assiégées. Je dois pouvoir trouver facilement Mr. Legge et Mr. Weyman. Lequel voulez-vous interroger d'abord, inspecteur ?

— Peu importe. »

Miss Brewis sortit, suivie de Stubbs qui lui dit d'une voix hésitante :

« Ecoutez, Amanda, il faut que vous… »

Bland se rendait compte que le maître de maison avait grand besoin de l'énergique secrétaire. En cet instant, l'inspecteur trouvait qu'il ressemblait à un petit garçon fouetté.

En attendant, il décrocha le téléphone, demanda le poste de police d'Helmmouth et prit certaines dispositions concernant le yacht *L'Espérance*.

« Je pense que vous vous rendez compte, dit-il à Hoskins, lequel en était fort incapable, que cette maudite femme pourrait être à bord de ce yacht ?

— Pourquoi le supposez-vous, chef ?

— On ne l'a vue sortir par aucune des issues habituelles, elle est habillée d'une manière qui rend invraisemblable une promenade à travers champs, mais il n'est pas impossible qu'elle ait eu rendez-vous avec de Sousa au débarcadère, qu'il l'ait conduite vers son yacht dans son canot et qu'il soit revenu ensuite à la kermesse.

— Mais pourquoi ? demanda le *constable*, ahuri.

— Je l'ignore et ce n'est guère plausible... mais c'est *possible*. Et si elle est à bord de *L'Espérance*, je tiens à ce qu'elle ne puisse en sortir sans être vue.

— Mais puisqu'elle détestait ce type-là...

— Nous savons seulement qu'elle a *dit le détester*. Les femmes mentent sans cesse, affirma l'inspecteur. Souvenez-vous-en toujours, Hoskins.

— Ha ! ha ! » répondit celui-ci avec admiration.

2

La conversation des deux policiers fut interrompue par l'arrivée d'un grand jeune homme à l'air distrait. Il était vêtu d'un élégant costume en flanelle grise, mais son col de chemise était froissé, sa cravate pendait de travers et ses cheveux étaient hirsutes.

« Mr. Alec Legge ? demanda Bland en levant la tête.

— Non. Je suis Michaël Weyman. Il paraît que vous me demandez ?

— C'est exact, monsieur. Veuillez vous asseoir.

— Je n'y tiens pas, je préfère marcher. Que s'est-il donc passé pour que toute la police soit ici ? »

L'inspecteur le regarda avec surprise.

« Sir George ne vous a-t-il donc pas mis au courant, monsieur ?

— Personne ne m'a mis au courant, comme vous le dites. De plus, je ne suis pas pendu aux basques de Sir George. Que s'est-il passé ?

— Je crois que vous séjournez au château ?

— Evidemment. Quel rapport cela présente-t-il ?

— Je croyais que tous les habitants de la propriété avaient été mis au fait du drame de l'après-midi.

— Le drame ? Quel drame ?

— La jeune fille qui jouait le rôle de victime dans la course a été tuée.

— Non ? Véritablement ? Ce n'est pas une mise en scène ?

— Elle est morte… étranglée à l'aide d'une corde. »

Weyman sifflota.

« Comme dans le scénario ? Oh ! oh ! »

Il se dirigea vers la fenêtre, revint rapidement et reprit :

« En conséquence, nous sommes tous soupçonnés ? A moins qu'un des natifs du pays soit incriminé ?

— Nous ne voyons pas comment il aurait pu agir.

— Moi non plus. En tout cas, inspecteur, mes amis disent que je suis piqué, mais pas au point de me promener dans la campagne pour étrangler des gamines !

— On m'a dit que vous étiez ici pour créer un projet de pavillon de tennis ?

— Occupation tout à fait innocente, du moins au point de vue criminel. Du point de vue architectural, j'en suis moins convaincu car, une fois achevé, ce sera, sans doute, un attentat contre le bon goût… ce qui ne doit pas vous passionner, inspecteur. Qu'est-ce qui vous intéresse ?

— J'aimerais savoir, monsieur, où vous étiez entre quatre heures quinze et cinq heures ?

— Comment êtes-vous aussi précis ? Grâce au rapport médical ?

— Pas absolument. Un témoin a vu la jeune fille vivante à quatre heures un quart.

— Quel témoin ? Est-il permis de vous le demander ?

— Miss Brewis. Lady Stubbs lui avait dit de porter un plateau de gâteaux et un sirop à la jeune fille.

— Notre belle Hattie l'avait chargée de cette commission ? Je n'en crois pas un mot !

— Pourquoi ?

— Parce que ce n'est pas le genre d'idée qu'elle aurait eu. Lady Stubbs ne s'occupe que d'elle.

— J'attends toujours une réponse à la question que je vous ai posée...

— Où j'étais entre quatre heures quinze et cinq heures ? Il m'est difficile de vous répondre... j'étais par là...

— Qu'entendez-vous par ces mots ?

— Je me suis mêlé à la foule sur la pelouse, j'ai regardé s'amuser les paysans, j'ai échangé quelques mots avec la vedette de cinéma. Puis, quand j'en ai eu assez, je suis allé vers le court de tennis et j'ai réfléchi à mon projet de pavillon. Je me suis également demandé si quelqu'un devinerait que le premier indice offert pour la course à l'assassin était la photo d'un filet de tennis.

— Quelqu'un l'a-t-il deviné ?

— Oui, je crois, mais je ne faisais guère attention aux allées et venues, car j'avais eu une idée qui réconciliait mon projet de construction et celui de Sir George.

— Et ensuite ?

— Je me suis promené et suis revenu vers la maison en passant par le quai où j'ai bavardé avec le vieux Bardle. Je ne puis rien préciser de plus...

— Mon Dieu, répliqua l'inspecteur, je suppose que vos dires pourront être confirmés par quelqu'un.

— Bardle pourra vous affirmer que j'ai causé avec lui, mais il devait être un peu plus tard que l'heure dont vous vous occupez. Plus de cinq heures... cela vous paraît insuffisant, je pense, inspecteur ?

— Je présume que nous serons en mesure de nous renseigner, monsieur. »

La voix de Bland était polie mais froide et le jeune architecte s'en aperçut. Il s'assit sur le bras d'un fauteuil et demanda :

« Pour parler sérieusement, qui est-ce qui pouvait vouloir tuer cette enfant ?

— Vous n'avez aucune idée à ce sujet ?

— Peut-être est-ce notre prolifique romancière, la Femme en Rouge ! Avez-vous vu sa toilette ? Peut-être a-t-elle légèrement perdu la tête et pensé qu'un *véritable* cadavre ferait beaucoup mieux !

— Est-ce l'expression de votre pensée, monsieur ?

— Je ne puis rien vous proposer d'autre.

— Il y a un détail dont je désire vous entretenir : avez-vous vu Lady Stubbs au cours de l'après-midi ?

— Bien entendu ! Qui aurait pu ne pas la voir, habillée comme un mannequin de Jacques Fath ou de Christian Dior ?

— A quel moment l'avez-vous aperçue pour la dernière fois ?

— Je ne sais trop... Peut-être trois heures et demie ou quatre heures moins un quart, prenant une pose sur la pelouse.

— Et pas plus tard ?

— Non. Pourquoi ?

— Parce que, depuis quatre heures, nul ne paraît plus l'avoir vue. Elle a... disparu...

— Disparu ? La belle Hattie ?

— Cela vous étonne ?

— Oui, un peu... Que mijote-t-elle ?

— La connaissez-vous bien ?

— Je ne l'avais jamais vue avant de venir ici, il y a quatre ou cinq jours.

— Avez-vous formé une opinion à son sujet ? »

Michaël Weyman répondit d'un ton sec :

« Je suis convaincu qu'elle sait fort bien mener sa barque. Elle est très décorative et en tire un excellent parti.

— Mais, intellectuellement, pas très développée ?

— Cela dépend du sens de votre phrase. Je ne la considère pas comme une femme cultivée. Mais vous vous trompez du tout au tout si vous supposez qu'elle est faible d'esprit... Au contraire, ajouta-t-il avec amertume, personne n'est plus avisé qu'elle ! »

Bland ouvrit de grands yeux.

« Tel n'est pas l'avis général.

— Parce que, pour des raisons connues d'elle seule, il lui plaît de jouer les idiotes, mais ainsi que je vous l'ai déjà dit, la vérité est tout autre. »

L'inspecteur le dévisagea un instant puis demanda :

« Vous ne pouvez vraiment pas être plus précis au sujet de votre emploi du temps ?

— Désolé ! dit Weyman d'un ton saccadé. Je crains que non ; j'ai une déplorable mémoire, notamment pour l'heure qui passe. En avez-vous fini avec moi ? »

Bland ayant acquiescé, l'architecte sortit rapidement.

« Je voudrais savoir, murmura le policier, à moitié pour lui-même, à moitié pour Hoskins, ce qui s'est passé entre ce garçon et Lady Stubbs. Ou il lui a fait la cour et elle l'a repoussé, ou ils ont eu un sujet de dispute. Que pense-t-on, dans le pays, de Sir George et de sa femme ?

— On dit qu'elle est cinglée !

— Je sais que telle est votre opinion. Mais d'autres personnes la partagent-elles ?

— Certainement.

— Son mari est-il aimé ?

— Oui. C'est un bon *sportsman* et il connaît la terre. La vieille dame l'a d'ailleurs beaucoup aidé.

— Quelle vieille dame ?

— Mrs. Folliat, qui habite l'ancien pavillon de garde.

— Ah ! en effet. C'est l'ancienne propriétaire, n'est-ce pas ?

— Oui, et c'est grâce à elle que le ménage Stubbs a été aussi bien reçu dans le voisinage. Mrs. Folliat l'a mis en relation avec toute la noblesse du pays.

— L'a-t-on payée pour cela ?

— Oh ! non, s'écria Hoskins d'un air scandalisé. Je crois qu'elle connaissait Lady Stubbs avant son mariage et a conseillé à Sir George d'acheter la propriété.

— Il va falloir que je cause avec elle, dit Bland.

— C'est une vieille dame très intelligente. S'il se passe quelque chose de bizarre, elle le sait sûrement.

— Où est-elle en ce moment ? »

Chapitre 11

1

Mrs. Folliat causait avec Poirot dans le grand salon. Il l'avait aperçue enfoncée dans un fauteuil et elle avait sursauté lorsqu'il était entré... Puis, s'appuyant de nouveau contre le dossier, elle avait murmuré :

« Ah ? c'est vous, monsieur ?

— Je m'excuse, madame. Je vous dérange ?

— Mais non. Je me reposais un peu car je ne suis plus jeune et cette émotion m'a bouleversée.

— Je comprends fort bien. »

Un mouchoir serré dans la main, Mrs. Folliat leva les yeux vers le plafond et dit d'une voix que l'émotion étranglait :

« Je ne puis y penser... cette malheureuse enfant ! Si jeune, à l'aube de la vie... »

Poirot regarda la vieille dame avec attention. Elle paraissait avoir dix ans de plus qu'au début de l'après-midi alors que, gracieuse hôtesse, elle accueillait ses invités. A présent, son visage tiré était hagard et des rides nombreuses s'y creusaient.

« Ainsi que vous me l'avez dit hier, madame, le monde est très méchant.

— L'ai-je dit ? (Elle parut effrayée.) C'est d'ailleurs vrai, mais je commence tout juste à m'en apercevoir... »

Elle ajouta plus bas :

« Cependant, je n'aurais jamais cru qu'une chose pareille se produirait ! »

Poirot la dévisagea de nouveau :

« Vous supposiez donc qu'il arriverait un événement inattendu ?

— Non, non, je n'ai pas voulu dire cela ! »

Il insista :

« Pourtant, vous vous attendiez à quelque chose d'insolite ?

— Vous ne me comprenez pas, monsieur. Je pensais simplement qu'au milieu d'une fête comme celle-ci rien de semblable ne pouvait arriver.

— Ce matin, Lady Stubbs parlait aussi de méchanceté...

— Hattie ? Oh ! ne me parlez pas d'elle... je ne veux pas y penser... »

Mrs. Folliat garda le silence un instant, puis demanda :

« Que disait-elle au sujet de la méchanceté ?

— Il s'agissait de son cousin, Etienne de Sousa. Elle déclarait qu'il était mauvais et qu'elle en avait peur... »

Poirot étudiait attentivement la figure de son interlocutrice, mais elle secoua la tête d'un air incrédule et ajouta :

« Etienne de Sousa... qui est-ce ?

— C'est vrai, madame, vous n'étiez pas au petit déjeuner ; je l'avais oublié. Lady Stubbs a reçu une lettre de ce cousin qu'elle n'avait plus vu depuis l'époque où elle était adolescente. Il lui annonçait sa visite pour aujourd'hui.

— Est-il venu ?

— Oui, vers quatre heures et demie.

— Voyons, s'agit-il d'un assez beau garçon brun qui est arrivé par le sentier du bac ? Je m'étais demandé qui c'était.

— Oui, madame. »

Mrs. Folliat reprit d'un ton ferme :

« N'accordez aucune importance à ce que dit Hattie... »

Elle rougit car Poirot la regardait avec étonnement et continua :

« C'est une enfant... ou, plutôt, elle parle comme une enfant, sans discernement. Ne vous inquiétez pas de ce qu'elle dit de ce monsieur. »

Poirot, de plus en plus étonné, demanda :

« Vous connaissez bien Lady Stubbs, madame ?

— Aussi bien que n'importe qui... peut-être mieux que son mari...

— Qu'est-elle en réalité ?

— Voilà une bien étrange question, monsieur.

— Est-ce que vous savez qu'on ne la trouve plus nulle part ? »

La réponse de Mrs. Folliat étonna encore son interlocuteur. Elle ne manifesta ni émotion, ni surprise et dit :

« Ah ! je vois, elle s'est enfuie.

— Cela vous paraît naturel ?

— Naturel ? Je ne sais... Hattie est assez étrange.

— Croyez-vous qu'elle se soit sauvée parce que sa conscience la tourmente ?

— Que voulez-vous dire ?

— Son cousin me parlait d'elle aujourd'hui et a laissé entendre qu'elle n'est pas tout à fait équilibrée. Or, vous n'ignorez pas, madame, que les déséquilibrés ne sont pas toujours responsables de leurs actes.

— Que cherchez-vous à me faire comprendre ?

— Ils ressemblent à des enfants, comme vous le disiez... Saisis d'un violent accès de colère, ils peuvent même tuer.

— Hattie n'est pas ainsi ! Je ne vous permets pas de dire cela. C'était une enfant douce, au cœur sensible, quoique peu intelligente. Hattie n'aurait jamais tué personne... »

Mrs. Folliat respirait fortement et faisait face à Poirot d'un air indigné... Il se sentait tout à fait déconcerté.

2

Le *constable* Hoskins interrompit l'entretien. Il annonça d'un ton d'excuse :

« Je vous cherchais, madame.

— Bonsoir, Hoskins, répondit Mrs. Folliat, qui redevint aussitôt la maîtresse de maison pleine de dignité. Qu'y a-t-il ?

— L'inspecteur vous présente ses hommages, madame, et serait heureux de causer avec vous... si vous n'êtes pas trop fatiguée », s'empressa-t-il d'ajouter car, tel Hercule Poirot, il avait remarqué l'altération des traits de la vieille dame.

« Je ne suis pas fatiguée... »

Elle se leva aussitôt et sortit derrière Hoskins. Poirot se souleva poliment, puis se rassit et se mit à contempler le plafond d'un air pensif.

Bland se dressa en voyant Mrs. Folliat, à laquelle le *constable* avança un siège.

« Je regrette de vous déranger, madame, mais je suppose que vous connaissez tous les habitants du voisinage et que vous pourrez nous aider. »

Elle sourit faiblement et répondit :

« Je crois, en effet, connaître mes voisins. Que désirez-vous savoir, inspecteur ?

— Vous connaissez donc les Tucker ? Les parents et la jeune fille ?

— Bien entendu, car ils ont toujours été locataires dans le domaine. Mrs. Tucker était la plus jeune d'une nombreuse famille et son frère aîné était notre jardinier-chef. Elle a épousé Alfred Tucker qui est ouvrier agricole, très bête, mais excellent homme. Sa femme est assez autoritaire, mais bonne ménagère et très propre. Tucker n'a pas la permission d'entrer avant d'ôter ses souliers boueux. Elle harcèle un peu ses enfants. Les aînés sont mariés et travaillent ailleurs. Il ne restait plus que la pauvre Marlène et trois écoliers, deux garçons et une fille.

— Puisque vous connaissez si bien cette famille, pouvez-vous deviner pour quelle raison on a tué Marlène ?

— Certainement pas. C'est tout à fait incompréhensible. Elle n'avait aucun amoureux, du moins je n'en ai jamais entendu parler.

— Pouvez-vous me renseigner sur les personnes qui ont pris part à cette course au crime ?

— Je n'avais jamais vu Mrs. Oliver auparavant et elle ne ressemble en rien à l'idée que je me faisais d'un auteur de romans policiers. La pauvre femme est bouleversée ! C'est fort naturel.

— Et les autres, le capitaine Warburton, par exemple ?

— Je n'imagine aucune raison pour laquelle il eût assassiné Marlène Tucker, si c'est ce à quoi vous pensez. Il ne me plaît pas beaucoup, car je le trouve rusé ; mais je suppose que c'est nécessaire lorsqu'on est l'agent d'un homme politique. Il est incontestablement actif et nous a beaucoup aidés pour organiser la fête. Je ne crois pas, du reste, qu'il ait eu la possibilité de tuer la fillette, car il est resté sur la pelouse pendant tout l'après-midi.

— Et le ménage Legge ? interrogea Bland. Que savez-vous à son sujet ?

— C'est un jeune couple très sympathique. Legge est enclin à la maussaderie ; je ne le connais pas intimement. Sa femme appartenait à la famille Carstairs et je suis en bonnes relations avec celle-ci. Ils ont loué un cottage pour deux mois et j'espère que leurs vacances ont été agréables. Nous les voyons souvent.

— Mrs. Legge est très séduisante, paraît-il ?

— Oh ! oui.

— Supposez-vous qu'elle ait pu plaire à Sir George ? »

Mrs. Folliat parut étonnée.

« Je suis sûre que non. Sir George est très occupé par ses affaires et très épris de sa femme ; de plus, il n'a rien d'un séducteur.

— Il n'y avait pas non plus de flirt entre Mr. Legge et Lady Stubbs ?

— Certainement pas. »

Bland insista :

« Vous ne savez pas si un différend quelconque s'est élevé entre Sir George et sa femme ?

— Il ne s'en est produit aucun, affirma la vieille dame. J'aurais été au courant du moindre ennui.

— Ce n'est donc pas à la suite d'une querelle avec son mari que Lady Stubbs est partie ?

— Oh ! non ! Cette petite sotte, ajouta Mrs. Folliat gaiement, ne voulait pas voir son cousin... quelque phobie puérile ! Et elle s'est sauvée comme l'eût fait une enfant.

— A votre avis, il n'y a pas d'autre raison ?

— Non. Elle reparaîtra bientôt, un peu honteuse... A propos, ajouta Mrs. Folliat, qu'est devenu le cousin ? Est-il encore ici ?

— Je crois qu'il est retourné vers son yacht.

— Qui est à Helmmouth, je crois ?

— En effet.

— Bien... C'est dommage que Lady Stubbs se soit conduite ainsi. Toutefois, si son parent reste encore dans la région un ou deux jours, je pense que nous pourrons faire comprendre à Hattie qu'elle doit changer d'attitude. »

L'inspecteur estima que c'était une question, non une affirmation, mais ne répondit pas directement et reprit :

« Vous devez penser que ce sujet nous écarte de mon enquête ? Mais vous comprenez certainement, madame, qu'il nous faut étendre nos recherches. Parlons de Miss Brewis : quelle est votre opinion à son égard ?

— C'est une excellente secrétaire et mieux encore, car elle joue ici un rôle de femme de charge. Je ne sais ce que feraient les Stubbs sans elle.

— Etait-elle déjà la secrétaire de Sir George avant qu'il n'épousât sa femme ?

— Je crois, mais n'en suis pas absolument sûre. Je ne connais Miss Brewis que depuis que Sir George s'est installé ici.

— Il me semble qu'elle n'aime guère Lady Stubbs ?

— Je le crains aussi. Je crois d'ailleurs que ces parfaites secrétaires n'ont jamais beaucoup de sympathie pour les jeunes femmes de leurs patrons... c'est sans doute explicable.

— Est-ce vous ou Lady Stubbs qui avez chargé Miss Brewis de porter des gâteaux et un sirop à la jeune Tucker, dans la remise ? »

Mrs. Folliat manifesta une certaine surprise.

« Je me souviens d'avoir vu Miss Brewis préparer un plateau et l'ai entendue annoncer qu'elle le destinait à Marlène. Je ne savais pas que quelqu'un le lui avait demandé. Ce n'était, en tout cas, pas moi.

— Bien. Vous étiez dans la tente des rafraîchissements à partir de quatre heures... Je crois que Mrs. Legge est venue goûter au même moment ?

— Non ; du moins, je ne me souviens pas l'avoir vue... Je suis même sûre qu'elle n'était pas sous la tente. Nous avions eu un gros arrivage par l'autobus de Torquay et je me souviens d'avoir regardé toutes les personnes qui prenaient le thé ; j'ai pensé que c'était des estivants, car je n'en connaissais aucune. Mrs. Legge a dû entrer plus tard.

— Cela n'a pas d'importancc, déclara Bland. Je crois que c'est tout. Merci, madame, vous avez été fort aimable. Il nous reste à souhaiter que Lady Stubbs ne tarde pas à rentrer.

— Je le souhaite comme vous. Cette chère enfant s'est montrée fort étourdie en nous inquiétant ainsi... »

Elle s'exprimait avec bonne humeur, mais sa voix n'était pas tout à fait naturelle ; elle conclut :

« Je suis sûre qu'il ne lui est rien arrivé de fâcheux... »

Au même instant, la porte s'ouvrit et une jolie femme rousse entra.

« On me dit que vous me demandez, inspecteur ?

— Voici Mrs. Legge, présenta Mrs. Folliat. Peggy, ma petite, je ne sais si vous êtes au courant de l'affreux événement qui vient de se passer ?

— Oh ! oui, c'est horrible ! » répondit la jeune femme qui poussa un soupir et se laissa tomber épuisée, sur une chaise, tandis que Mrs. Folliat quittait la pièce. Elle reprit :

« Je suis désolée et la chose semble véritablement incroyable. Je crains de ne vous être d'aucune utilité. J'ai dit la bonne aventure pendant tout l'après-midi, de sorte que je n'ai rien vu de ce qui se passait ailleurs.

— Je le sais, madame ; mais nous sommes obligés de poser des questions classiques à chaque personne. Par exemple, celle-ci : où étiez-vous entre quatre heures quinze et cinq heures ?

— Je suis allée prendre le thé à quatre heures.

— Sous la tente ?

— Oui.

— On m'a dit qu'il y avait foule ?

— Une foule immense.

— Avez-vous rencontré des amis ?

— Quelques-uns, mais je n'ai parlé à personne. J'avais trop envie de boire mon thé ! Je suis retournée dans mon antre à quatre heures trente et j'ai continué mon travail… A la fin, c'est inouï ce que j'en étais arrivée à promettre aux femmes ! Des maris millionnaires, une carrière de vedette à Hollywood… que sais-je encore ? Les voyages en mer et les rivales brunes semblaient par trop ordinaires !

— Que s'est-il passé pendant votre absence d'une demi-heure ? je veux parler des gens qui voulaient vous consulter ?

— J'avais épinglé une carte à l'extérieur : « Retour à « quatre heure trente. »

L'inspecteur en prit note, puis demanda :

« A quel moment avez-vous vu Lady Stubbs pour la dernière fois ?

— Hattie ? Je ne sais pas. Elle était tout près de la tente quand j'en suis sortie, mais je ne lui ai pas parlé. Ensuite, je ne me souviens pas de l'avoir aperçue… quelqu'un vient de me dire qu'elle a disparu. Est-ce vrai ?

— Oui.

— Oh ! déclara Peggy avec bonne humeur, elle est si bizarre que le crime a dû l'affoler !

— Enfin ! merci, madame. »

Elle sortit rapidement et croisa Hercule Poirot sur le seuil.

3

L'inspecteur déclara en regardant le plafond :

« Mrs. Legge prétend qu'elle se trouvait sous la tente du goûter entre quatre heures et quatre heures trente. Mrs. Folliat dit qu'elle y est arrivée à quatre heures et y est restée, mais que Mrs. Legge n'y était pas… »

Il s'interrompit et reprit au bout d'un instant :

« Miss Brewis affirme que Lady Stubbs lui a demandé de porter un plateau de gâteaux, accompagnés de jus de fruits à Marlène Tucker. Michaël Weyman déclare que Lady Stubbs était tout à fait incapable d'y avoir pensé…

— Ah ! dit Poirot, toujours les témoignages contradictoires ! On ne peut les éviter !

— Et ils sont bien ennuyeux à démêler, reconnut Bland. Ils sont parfois importants mais, dans neuf cas sur dix, ils n'ont aucune valeur. Nous ne manquons pas de travail d'élagage !

— Quelle est votre opinion maintenant, mon cher ?

— Je crois que la jeune Tucker a vu quelque chose qu'elle n'aurait pas dû voir et c'est pourquoi on l'a tuée.

— Je ne dis pas le contraire, répondit Poirot. Mais… *qu'a-t-elle vu* ?

— Peut-être un crime… ou l'assassin.

— Un crime ? Quelle serait la victime ?

— A votre avis, Poirot, Lady Stubbs est-elle morte ou vivante ? »

Le criminologiste réfléchit un moment, puis déclara :

« Je pense, mon ami, que Lady Stubbs est morte et je vais vous dire pourquoi : Mrs. Folliat en est convaincue… Oui, quoi qu'elle puisse déclarer maintenant, elle est certaine qu'Hattie est morte… Mrs. Folliat sait, croyez-moi, beaucoup de choses que nous ignorons. »

Chapitre 12

Quand Hercule Poirot descendit, le lendemain matin, pour le petit déjeuner, il trouva une table fort réduite. Mrs. Oliver, toujours bouleversée, était restée dans son lit. Michaël Weyman était sorti de bonne heure après s'être contenté d'une tasse de café. Seuls, Sir George et la fidèle Miss Brewis étaient présents, mais le premier se montrait incapable de manger, ce qui prouvait bien la perturbation de son esprit. Il repoussa la pile de lettres que Miss Brewis avait posée devant lui et but son café sans avoir l'air de s'en apercevoir.

« 'Jour, Poirot », dit-il vaguement, puis il retomba dans sa préoccupation en marmottant des phrases telles que : « Toute l'affaire est inimaginable ! Où peut-elle être ?

— L'enquête se tiendra jeudi à l'Institut, annonça la secrétaire. On a téléphoné pour nous l'annoncer. »

Stubbs la regarda comme s'il ne comprenait pas.

« L'enquête ? répéta-t-il. Ah ! oui... »

Il paraissait étourdi et indifférent. Après avoir bu une gorgée de café, il murmura :

« Les femmes sont extraordinaires. A quoi pense-t-elle ? »

Miss Brewis pinça les lèvres et Poirot eut l'impression

qu'elle était sous l'influence d'une forte tension nerveuse. Elle fit observer :

« Hogdson doit venir vous voir ce matin au sujet de l'électrification des laiteries de la ferme. Et, à midi, il y a... »

Sir George l'interrompit :

« Je ne puis voir personne... Décommandez-les tous ! Comment diable veut-on qu'un homme puisse traiter des affaires quand il est aussi tourmenté que moi au sujet de sa femme ? »

— Comme vous voudrez, Sir George », répondit Miss Brewis d'un air nettement désapprobateur.

Stubbs reprit :

« On ne sait jamais quelles idées passent par le cerveau des femmes et quelles sottises elles sont capables de faire ! Vous êtes bien de cet avis, n'est-ce pas ? conclut-il en s'adressant à Poirot.

— Les femmes sont imprévisibles », répondit celui-ci.

Miss Brewis se moucha avec agacement.

« Elle *paraissait* très bien portante, reprit Stubbs, enchantée de sa nouvelle bague et se faisait belle pour la fête... Toute à ses plaisirs comme d'habitude... et nous n'avons pas eu l'ombre d'un désaccord ! Pourtant, elle est partie sans un mot !

— Au sujet de ces lettres... commença Miss Brewis.

— Qu'elles aillent au diable ! riposta-t-il en les ramassant et en les jetant positivement à sa secrétaire. Répondez comme vous voudrez ! Je ne veux pas qu'on m'ennuie ! »

Il continua comme se parlant à lui-même :

« On dirait que je ne puis rien faire... Je ne sais même

pas si ces types de la police sont utiles malgré leurs belles paroles !

— Je crois, dit vivement Miss Brewis, qu'ils sont fort compétents. Ils ont d'excellents moyens de retrouver les personnes disparues...

— Il leur faut souvent plusieurs jours, s'écria son patron, pour remettre la main sur un gosse qui est allé se cacher dans une meule de foin !

— Je ne pense pas que ce soit le cas de Lady Stubbs...

— Si seulement je pouvais *agir,* répéta l'infortuné mari. Je crois que je vais faire mettre un appel dans les journaux ! Ecrivez, Amanda... »

Il réfléchit, puis dicta :

« *Hattie, vous supplie revenir. Suis follement inquiet.*
George.

Faites passer dans tous les journaux ! »

Miss Brewis répondit sèchement :

« Lady Stubbs lit bien rarement les journaux. Elle ne s'intéresse pas à ce qui se passe dans le monde... »

Elle ajouta méchamment :

« Evidemment, vous pourriez mettre une annonce dans *Vogue*, elle la verrait peut-être... »

Sir George était bien incapable de remarquer son ton fielleux ; il répondit simplement :

« Où vous voudrez, mais vite ! »

Puis il se leva et se dirigea vers la porte. Il s'arrêta, la main sur la poignée, revint en arrière, et demanda :

« Dites-moi, Poirot, vous ne pensez pas qu'elle soit morte ? »

Tout en fixant les yeux sur sa tasse, Hercule répondit :

« Il est beaucoup trop tôt pour affirmer une chose semblable, Sir George, et rien ne permet de le croire.

— Pourtant, vous admettez cette idée ? Moi pas, ajouta Stubbs d'un air de défi. Je suis sûr qu'elle est vivante... »

Il inclina la tête plusieurs fois avec de plus en plus d'énergie, sortit et claqua la porte derrière lui.

Poirot prit une toast d'un air pensif. Dans les cas où l'assassinat d'une femme était probable, il commençait toujours par soupçonner le mari et, quand il s'agissait du mari, il soupçonnait la femme. Mais, dans le cas présent, il était convaincu de l'innocence de Sir George qui adorait manifestement Hattie. De plus, son excellente mémoire lui prouvait que Stubbs était resté sur la pelouse jusqu'au moment où, en compagnie de Mrs. Oliver, il avait découvert le corps de Marlène. Quand ils étaient revenus, Sir George n'avait pas bougé. Il ne pouvait donc avoir tué sa femme... si celle-ci était morte. Certes, rien ne le prouvait, et pourtant, Poirot était convaincu que le crime avait été double.

Miss Brewis interrompit ses réflexions en disant d'un ton venimeux, mais proche des larmes :

« Les hommes sont idiots, absolument idiots ! Sous certains rapports, ils ne manquent pas de clairvoyance, mais ils épousent les femmes qui ne leur conviennent pas ! »

Poirot était toujours disposé à laisser parler ceux qui l'entouraient, car il en tirait profit. Il se contenta de répondre :

« Vous estimez que le mariage Stubbs est regrettable ?

— C'est un désastre !

— Ne sont-ils pas heureux ?

— Elle a la plus déplorable influence sur son mari à tous égards.

— Voilà qui est intéressant ! Quel genre de mauvaise influence ?

— Elle le fait tourner comme une toupie, se fait donner des cadeaux coûteux... Elle possède beaucoup plus de bijoux qu'elle n'en peut porter, sans parler des fourrures. Deux manteaux de vison et un autre en hermine véritable. Pourquoi une femme a-t-elle besoin de deux manteaux de vison ?

— Je l'ignore...

— Elle est fausse et rusée, continua Miss Brewis, et joue les faibles d'esprit, surtout en public. Je suppose qu'elle s'imagine plaire ainsi à son mari...

— Est-ce exact ?

— Oh ! les hommes ! cria la secrétaire, à bout de force nerveuse. Ils n'apprécient ni l'absence d'égoïsme, ni la compétence, ni la loyauté ! Si Sir George avait eu une femme intelligente, il serait arrivé...

— Arrivé où ?

— Il aurait pu jouer un rôle politique, entrer au Parlement. Il est beaucoup plus doué que le pauvre Mr. Masterton. Je ne sais si vous avez jamais entendu ce dernier faire un discours ? Il bégaie et n'a aucune flamme. Il doit entièrement sa situation à sa femme et c'est elle qui remplit le rôle de *Deus ex machina*. Elle possède l'énergie, le flair et le sens politique. »

Poirot frissonna à l'idée qu'il aurait pu épouser une

réplique de Mrs. Masterton, mais il acquiesça sincèrement :

« Oui, c'est une femme formidable ! »

Miss Brewis continua :

« Sir George n'est pas ambitieux. Il semble se contenter de vivre ici, de jouer au châtelain de village et d'aller très rarement à Londres pour assister à des conseils d'administration; mais il pourrait faire beaucoup mieux, vu ses capacités, car c'est un homme très remarquable, je vous assure. Cette femme ne l'a jamais compris ! Elle ne le considère que comme une machine à distribuer des fourrures, des bijoux et de belles toilettes. S'il avait épousé quelqu'un qui eût vraiment apprécié ses qualités... »

Elle s'arrêta, la voix tremblante, et Poirot la regarda avec pitié. Elle était éprise de son patron et lui avait voué une loyauté et une fidélité qu'il n'appréciait même pas. Aux yeux de Stubbs, Amanda n'était qu'un rouage bien huilé qui lui épargnait les ennuis quotidiens, répondait au téléphone, écrivait des lettres, dirigeait les domestiques, commandait les menus et lui rendait l'existence facile.

Poirot se demanda si George Stubbs avait jamais vu une femme en elle... ce qui n'était pas exempt de danger. Amanda et ses pareilles pouvaient se monter l'imagination et devenir hypernerveuses sans que les hommes qu'elles aimaient s'en soient aperçus. Miss Brewis reprit :

« C'est une chatte adroite, intrigante et sournoise !

— Je remarque que vous dites « est », pas « était ».

— Elle n'est sûrement pas morte, répliqua Miss Brewis

avec dédain. Elle est partie avec un homme, voilà tout ! C'est bien son genre.

— C'est toujours possible », répondit son interlocuteur.

Il prit un autre toast, regarda sans enthousiasme le pot de marmelade d'orange, jeta un coup d'œil sur le couvert pour voir s'il y voyait un autre genre de confiture ; comme il n'y en avait pas, il se résigna à prendre du beurre.

« C'est la seule explication, continua Miss Brewis. Seulement, *lui* n'y pense pas.

— A-t-elle eu... des coquetteries avec des hommes ? interrogea délicatement Poirot.

— Oh ! elle a été très maligne.

— Vous voulez dire que vous n'avez rien remarqué de semblable ?

— Elle a pris grand soin que je ne puisse rien voir !

— Toutefois, vous croyez qu'il a pu y avoir des intrigues cachées ?

— Elle a fait de son mieux pour affoler Michaël Weyman : elle l'emmenait voir les camélias à cette époque de l'année ! Et elle prétendait s'intéresser au futur pavillon de tennis !

— Mais c'est la raison de son séjour ici et j'ai cru comprendre que Sir George le fait construire pour être agréable à sa femme.

— Elle ne sait pas jouer au tennis... ni à aucun autre jeu. Elle veut simplement avoir un joli cadre pendant que ses invités s'agitent et ont trop chaud ! Oh ! oui, elle a essayé de conquérir Weyman et, s'il n'avait pas été occupé ailleurs, elle y serait sans doute arrivée.

— Ah ! il est occupé ailleurs ?

— C'est Mrs. Legge qui l'a recommandé à Sir George. Elle l'a connu avant son mariage, à Chelsea, où elle faisait de la peinture.

— Elle paraît très agréable et intelligente, répondit Poirot avec intention.

— Incontestablement intelligente. Elle a fait de bonnes études universitaires et je crois qu'elle aurait pu trouver une jolie situation si elle ne s'était pas mariée.

— L'est-elle depuis longtemps ?

— Trois ans environ, il me semble. Je ne pense pas que ce ménage soit très heureux. Legge est un étrange garçon, assez grognon. Il se promène souvent seul et je l'ai entendu parler à sa femme d'une manière fort peu aimable.

— Mon Dieu ! dit Poirot, les querelles et les réconciliations sont fréquentes chez les jeunes ménages. Elles empêchent sans doute l'existence de paraître monotone. »

Miss Brewis déclara :

« Mrs. Legge a passé beaucoup de temps avec Michaël Weyman depuis qu'il est ici. J'ai l'impression qu'il était amoureux d'elle autrefois ; de la part de Peggy, je suppose que c'est un simple flirt.

— Qui déplaît sans doute à son mari ?

— On ne sait jamais avec lui : il est si peu communicatif ! Cependant, il s'est montré encore plus mélancolique récemment.

— Admire-t-il beaucoup Lady Stubbs ?

— Elle devait le croire, car elle s'imagine n'avoir qu'un geste à faire pour rendre n'importe quel homme amoureux fou.

— En tout cas, si elle est partie avec un soupirant, ainsi que vous le supposez, ce n'est pas avec Mr. Weyman, qui est toujours ici.

— Je pense qu'il s'agit de quelqu'un d'inconnu ; elle devait le voir en cachette, car elle sort souvent sans rien dire et part en direction des bois. Avant-hier soir, notamment, alors qu'elle bâillait et déclarait qu'elle montait se coucher, je l'ai vue, une demi-heure plus tard, se glisser dehors, la tête enveloppée d'un châle. »

Poirot regarda d'un air pensif la femme assise en face de lui. Il se demandait si, lorsqu'il s'agissait de Lady Stubbs, on pouvait ajouter foi aux propos de la secrétaire, qui prenait peut-être ses désirs pour des réalités. Il était convaincu que Mrs. Folliat ne partageait pas les idées de Miss Brewis ; or, elle connaissait Hattie beaucoup mieux que personne. Si Lady Stubbs s'était fait enlever, cela conviendrait fort bien à sa rivale qui pourrait consoler le mari abandonné et le ferait adroitement divorcer. Toutefois, la belle Hattie avait choisi un moment assez curieux pour s'enfuir, et Poirot n'y croyait pas.

Miss Brewis renifla, rassembla les lettres éparses et dit :

« Puisque Sir George veut faire insérer cette annonce, il faut que je m'en occupe... C'est une perte de temps ridicule. Ah ! bonjour, madame », ajouta-t-elle comme la porte s'ouvrait brusquement.

Mrs. Masterton entra et déclara de sa voix profonde :

« Il paraît que l'enquête est fixée à jeudi. Bonjour, monsieur.

— Puis-je vous rendre un service ? lui demanda Miss Brewis.

— Non, merci, je pense que vous devez être surchargée, ce matin, mais je tenais à vous remercier pour tout le travail que vous avez accompli hier. Vous êtes une organisatrice parfaite et une infatigable travailleuse. Nous vous sommes tous infiniment obligés.

— Merci beaucoup, madame.

— Que je ne vous retarde pas ! je vais m'asseoir un instant et causer avec Mr. Poirot.

— J'en serai enchanté, madame », dit celui-ci qui s'était levé et s'inclinait.

Mrs. Masterton prit une chaise et s'assit. Miss Brewis, redevenue elle-même, quitta la pièce.

« Voilà une femme étonnante, affirma la visiteuse. Je ne sais ce que les Stubbs feraient sans elle ! La direction d'une maison n'est pas facile, de nos jours, et la pauvre Hattie ne s'en serait pas tirée... Toute cette affaire est extraordinaire, monsieur, et je suis venue pour vous demander ce que vous en pensez ?

— Et vous-même, madame, quelle est votre opinion ?

— L'idée est désagréable à envisager, mais je crois qu'il y a un dément aux environs... J'espère qu'il ne s'agit pas d'un voisin, mais d'un malade sortant d'un asile... On les libère souvent trop tôt. Personne n'aurait eu le désir d'étrangler cette petite Tucker, personne de normal n'aurait eu de motif. De plus, s'il s'agit d'un fou, il a dû étrangler aussi cette malheureuse Hattie Stubbs. La pauvre femme n'a aucun bon sens ; si elle a rencontré quelqu'un qui lui a demandé de venir regarder un bel arbre dans les bois, elle a dû le suivre sans la moindre méfiance.

— Vous supposez que son cadavre se trouve dans la propriété ?

— Oui, et on le découvrira en faisant des rondes. Vous comprenez, avec plus de cinq hectares de bois, cela prendra du temps, surtout si on l'a jeté dans un fourré ou sur une pente couronnée d'arbres. Il leur faudrait des limiers... je téléphonerai au chef *constable* pour le lui dire.

— Il est fort possible que vous ayez raison, madame, répondit Poirot qui estimait qu'on ne pouvait parler autrement à Mrs. Masterton.

— Bien entendu, mais j'avoue que cela m'inquiète beaucoup, car l'individu doit être aux environs. En sortant d'ici, je vais passer dans le village pour recommander aux mères de veiller sur leurs enfants. Ce n'est pas gai de penser que nous avons un assassin parmi nous !

— Un détail, madame ? Comment un étranger a-t-il pu entrer dans la remise, alors qu'il fallait avoir une clé ?

— C'est facile à comprendre : la petite est sortie. Oui, elle a dû s'ennuyer, a fait un tour et assisté peut-être à l'assassinat de Lady Stubbs... alors, le tueur a été obligé de s'en débarrasser, puis il l'a emportée dans le débarcadère, l'y a jetée et a refermé la porte derrière lui. C'était facile avec la serrure Yale. »

Poirot acquiesça d'un signe. Il ne voulait ni discuter avec Mrs. Masterton, ni lui faire remarquer que si Marlène avait été tuée hors de la remise, il fallait que le meurtrier ait su exactement comment devait se dérouler le jeu pour l'avoir replacée dans la position prévue pour la victime. Il se contenta de répondre :

« Sir George Stubbs est convaincu que sa femme n'est pas morte.

— Il le dit parce qu'il désire le croire. Il lui était fort attaché... J'aime bien George Stubbs ; malgré son origine, il réussit bien à la campagne. On peut lui reprocher d'être un peu snob, mais cela ne fait de mal à personne. »

Poirot répondit non sans un certain cynisme :

« A notre époque, la fortune a autant de valeur que la naissance.

— Je suis absolument de votre avis : il n'a eu qu'à acheter cette propriété, à dépenser sans compter et nous l'avons tous adopté ! Du reste, il est sympathique. Amy Folliat a contribué à son succès ; elle l'a chaperonné et elle est très écoutée par ici. Il y a eu des Folliat à *Nasse* depuis les Tudor.

— C'est ce qu'on m'a dit...

— Oui, soupira Mrs. Masterton, les guerres ont creusé des vides et les droits de succession sont très élevés. Alors, les héritiers ne peuvent entretenir les domaines et sont obligés de vendre.

— Cependant, Mrs. Folliat habite encore la propriété.

— Oui. Elle a délicieusement installé l'ancienne loge. Y êtes-vous entré ?

— Non.

— Tout le monde n'apprécierait pas sa situation : habiter le pavillon du concierge d'une ancienne propriété et voir celle-ci aux mains d'étrangers. A dire vrai, je ne crois pas qu'Amy Folliat en éprouve de l'amertume et, en réalité, c'est elle qui a tout organisé. Elle a persuadé Hattie qu'il lui fallait vivre ici et l'a poussée à influencer Stubbs. Je crois qu'elle n'aurait pu supporter de voir la maison transformée en hôtel ou pensionnat ou démolie. Il faut que je parte, conclut Mrs. Masterton en se levant. Je suis une femme occupée.

— Sûrement. Pour commencer, il vous faut parler des chiens au chef *constable*. »

Elle éclata de son rire bruyant.

« J'en ai élevé autrefois et l'on prétend que je leur ressemble ! »

Poirot fut un peu décontenancé et Mrs. Masterton fut assez avisée pour s'en apercevoir.

« Je parie que telle est votre opinion. » dit-elle.

Chapitre 13

Après le départ de Mrs. Masterton, le criminologiste alla se promener dans les bois. Il était nerveux et éprouvait le désir inattendu de regarder derrière chaque buisson et de voir en chaque massif de rhododendrons l'endroit où l'on avait pu cacher un corps. Il s'approcha enfin de *la Folie*, s'assit sur un banc de pierre et espéra reposer ses pieds, chaussés comme à son habitude de souliers vernis trop serrés.

Il pouvait, à travers les branches, apercevoir la rivière et les berges boisées qui la surmontaient sur l'autre rive. Aussi estima-t-il que le jeune architecte avait raison en déclarant que l'emplacement de *la Folie* était mal choisi. Certes, on pouvait éclaircir la futaie, mais la vue ne serait jamais belle ; tandis que sur la terrasse herbeuse, proche de la maison, on eût aperçu la rivière jusqu'à Helmmouth... Ce nom changea le cours des réflexions de Poirot qui pensa au yacht *L'Espérance* et à Etienne de Sousa... Tout cela devait avoir un rapport quelconque... mais lequel ?

Un objet brillant attira le regard du détective et il se pencha pour le ramasser. C'était une petite breloque en or représentant un avion qui éveilla un souvenir en Poirot : celui d'un bracelet auquel pendaient des breloques qu'il avait vu au bras de Mme Zuleika, *alias*

Peggy Legge. Des bijoux de ce genre étaient à la mode à l'époque de sa jeunesse et cette mode se répétait. C'était sans doute pourquoi le bracelet avait attiré son attention. Mrs. Legge avait dû venir s'asseoir sur ce banc et perdre le petit avion sans même le remarquer. Mais à quel moment ? Dans l'après-midi de la veille ?

Poirot réfléchit à la question. Un bruit de pas lui fit lever la tête : quelqu'un tournait à l'angle de la construction et s'arrêtait en l'apercevant : c'était un jeune homme blond, mince, vêtu de la fameuse chemise aux tortues qu'il avait remarquée la veille... Celui qui la portait paraissait fort troublé et il dit vivement d'une voix à l'accent étranger :

« Je vous demande pardon... Je ne savais pas. »

Poirot lui sourit aimablement, mais avec un peu de reproche :

« Je crains que vous ne violiez une propriété privée.

— Oui, je suis désolé !

— Vous venez de l'Auberge de jeunesse ?

— Oui. Je croyais pouvoir atteindre le quai en passant sous bois.

— Il va falloir que vous retourniez sur vos pas ; il n'y a pas de chemin direct. »

Le jeune homme montra toutes ses dents en un sourire qu'il voulait désarmant et répéta :

« Je suis désolé, tout à fait désolé. »

Il salua et s'en alla. Poirot sortit de *la Folie* et s'engagea sur le sentier en suivant l'inconnu des yeux. Lorsque celui-ci atteignit le tournant, il regarda pardessus son épaule, mais, apercevant le vieillard qui le surveillait, il pressa le pas et disparut.

« Est-ce ou n'est-ce pas un assassin que je viens de voir ? » se demanda le criminologiste.

Ce garçon avait incontestablement assisté, la veille, à la kermesse, et il savait, sans nul doute, que les bois ne conduisaient pas au bac. S'il avait vraiment cherché un sentier, il n'eût pas emprunté celui qui longeait *la Folie*, mais fût descendu plus bas, au niveau de la rivière. De plus, en arrivant près de la construction, il semblait avoir atteint le lieu de son rendez-vous et avait été déconcerté d'y trouver un inconnu.

« Donc, pensa Poirot, il est venu ici pour rencontrer quelqu'un. Mais qui et dans quel but ? »

Il gagna le tournant du chemin et, de là, put voir, à travers les arbres, la partie du sentier qui pénétrait sous bois. Il n'y avait plus trace de la chemise aux tortues : celui qui la portait avait dû battre en retraite aussi vite que possible. Poirot revint en arrière et hocha la tête d'un air pensif.

Il fit le tour de *la Folie* et s'arrêta, déconcerté à son tour : Peggy Legge était agenouillée, la tête baissée, et regardait avec attention les fissures du béton. Elle se leva d'un bond et s'écria :

« Comme vous m'avez fait peur, monsieur ! Je ne vous ai pas entendu approcher.

— Vous cherchez quelque chose, madame ?

— Je... pas exactement...

— N'avez-vous rien perdu ? A moins, continua Poirot d'un ton malicieux, que vous n'ayez un rendez-vous, mais, malheureusement, ce n'est pas avec moi... »

La jeune femme avait recouvré sa présence d'esprit.

« A-t-on des rendez-vous au milieu de la matinée ?

— Il faut parfois les donner à l'heure la plus commode... les maris sont souvent jaloux !

— Je doute que ce soit le cas du mien ! »

Mrs. Legge avait répondu gaiement, mais Poirot releva une amertume sous les mots. Peggy ajouta :

« Il est complètement absorbé par ses propres affaires.

— Toutes les femmes en accusent leurs époux, surtout les époux anglais.

— Vous autres étrangers êtes plus galants.

— Nous savons, répondit Poirot, qu'il est nécessaire de dire à une femme, au moins une fois par semaine, qu'on l'aime... trois ou quatre fois valent encore mieux... qu'il est utile aussi de lui apporter des fleurs, de lui adresser quelques compliments et de lui dire que sa nouvelle robe ou son chapeau neuf la parent à ravir...

— Est-ce ainsi que vous agissez ?

— Je ne suis pas un mari... hélas !

— Je suis sûre que vous ne le regrettez pas et que vous êtes ravi d'être célibataire et libre ?

— Non, madame ! J'ai manqué trop de joies.

— Pourtant, j'estime que se marier est folie, murmura Peggy.

— Vous regrettez l'époque où vous faisiez de la peinture dans votre atelier de Chelsea ?

— Vous me paraissez être fort au courant de ma vie, Mr. Poirot ?

— Je suis comme une vieille commère et j'aime à connaître l'histoire des personnes que je rencontre... Regrettez-vous vraiment le passé, madame ?

— Oh ! je ne sais pas... »

Elle s'assit sur le banc avec une certaine nervosité et il s'assit auprès d'elle.

Une fois de plus, il était témoin d'un incident auquel il s'accoutumait : cette jeune femme séduisante allait lui apprendre ce qu'elle eût hésité à raconter à un Anglais.

« J'espérais, dit-elle, qu'en venant passer des vacances ici, loin de tout, la situation redeviendrait normale... mais il n'en est rien.

— Vraiment ?

— Oui. Alec est tout aussi maussade et peu communicatif. Je ne sais ce qu'il a ; il est énervé, irritable. Des gens lui téléphonent, lui font dire des choses bizarres et il ne veut rien me confier... c'est ce qui m'exaspère ! Il ne m'avoue rien. J'ai cru, tout d'abord, qu'il s'agissait d'une autre femme, mais je ne crois vraiment pas... »

Cependant, son ton était dubitatif.

« Votre thé d'hier vous a-t-il été agréable, madame ?

— Mon thé ? »

Elle parut revenir de loin, puis répondit vivement :

« Oh ! oui. Vous ne pouvez imaginer à quel point c'était fatigant de rester dans cette tente, engoncée par ces voiles ! J'étouffais !

— Mais il devait faire également chaud sous la tente au goûter ?

— Sans doute. Seulement, rien ne vaut une bonne tasse de thé !

— Vous cherchiez quelque chose tout à l'heure, madame... Serait-ce ceci ? »

Il étendit sa paume sur laquelle était posée la petite breloque.

« Je… Oh ! oui. Merci. Où l'avez-vous trouvée ?

— Ici, dans cette fente.

— J'ai dû perdre cette breloque il y a quelques jours…

— Hier.

— Non, plus tôt…

— Cependant, madame, je l'avais remarquée, accrochée à votre bracelet, alors que vous me disiez la bonne aventure. »

Hercule Poirot savait mentir avec un calme imperturbable et Peggy baissa les yeux.

« Je ne me suis aperçue de sa disparition que ce matin.

— Je suis heureux d'avoir pu vous rendre ce porte-bonheur. »

Mrs. Legge tournait le petit avion entre ses doigts. Elle se leva et dit :

« Merci infiniment. »

Puis, elle se hâta de partir, la respiration saccadée et le regard inquiet. Poirot secoua la tête lentement.

« Non, murmura-t-il, vous n'êtes pas allée prendre le thé hier ! Ce n'est pas parce que vous aviez soif que vous désiriez savoir l'heure… Vous êtes venue *ici, à mi-chemin du débarcadère*… et vous y êtes venue pour voir quelqu'un… »

Il entendit tout à coup des pas rapides et reprit :

« Voici peut-être celui que Mrs. Legge comptait rencontrer… »

Toutefois, ce fut Alec qui parut et Poirot s'écria :

« Je me suis encore trompé !

— Comment ? » répondit le nouveau venu avec inquiétude.

Hercule s'expliqua :

« Je disais que je m'étais trompé… or, comme cela m'arrive rarement, je suis agacé. Je ne comptais pas vous voir…

— Qui comptiez-vous donc voir ?

— Un jeune homme, presque un gamin, qui porte une de ces chemises à la mode, ornée de tortues. »

Poirot fut enchanté de l'effet produit par ses paroles : Legge fit un pas en avant et répondit d'une manière incohérente :

« Comment savez-vous ? Comment avez-vous appris ? Que voulez-vous dire ?

— Je suis devin. »

Legge fit encore deux pas en avant et Poirot comprit qu'il était furieux. Il cria :

« Que diable voulez-vous dire ?

— Je crois que votre ami est retourné à l'Auberge de jeunesse. Si vous voulez le voir, vous ferez bien d'y aller.

— C'est donc cela… marmotta Alec en se laissant tomber sur l'autre extrémité du banc. C'est la raison de votre séjour ici ? Il ne s'agissait pas de « remettre des « prix » ! J'aurais dû m'en douter ! »

Il tourna vers Poirot un visage hagard et inquiet, puis reprit :

« Je sais ce que toute l'affaire semble recouvrir… mais ce n'est pas ce que vous croyez… je suis une victime. Je vous assure qu'une fois aux mains de ces gens-là, il est difficile de s'évader… Pourtant, je veux leur échapper... On devient désespéré et l'on songe à prendre des mesures extrêmes... On se sent pris comme un rat dans un piège et l'on ne sait que faire... A quoi bon parler ? Vous avez appris ce que vous vouliez savoir et vous tenez votre preuve ! »

Legge se leva, tituba un peu, puis se mit à courir sans regarder en arrière, laissant Poirot les yeux exorbités... Celui-ci murmura :

« Tout ceci est très curieux... mais intéressant... J'ai la preuve ? La preuve de quoi ? D'un crime ? »

Chapitre 14

1

L'inspecteur Bland était assis en face du *surintendent* Baldwin, dans le poste de police d'Helmmouth. Sur la table, il y avait une masse noire trempée d'eau et Bland déclara :

« C'est sûrement son chapeau… toutefois, je ne l'affirmerais pas sous serment. Sa femme de chambre m'a dit qu'elle affectionnait cette forme et en avait plusieurs : un rose pâle, un brun et ce noir qu'elle portait hier… Or, vous l'avez trouvé dans la rivière ! Cela tendrait à prouver que nos idées sont exactes. »

Baldwin, qui était un homme robuste et calme, répondit :

« Nous n'avons aucune certitude. N'importe qui peut jeter un chapeau dans l'eau.

— Oui, soit de la remise, soit d'un yacht.

— Le yacht n'a pas bougé, reprit le *surintendent.* Si elle s'y trouve, vivante ou morte, nous la verrons.

— Est-ce que Sousa n'est pas descendu à terre aujourd'hui ?

— Non. Tout à l'heure, il était assis dans un fauteuil sur le pont et fumait un cigare. »

Bland regarda la pendule :

« Il est presque l'heure de monter à bord.

— Vous pensez que vous la trouverez ?

— Je n'en jurerais pas, car j'ai l'impression que ce type est très fort. »

L'inspecteur se tut un instant, puis demanda :

« S'il y a un cadavre, qu'est-il devenu, à votre avis ?

— J'ai causé avec Otterweight ce matin. C'est un ancien garde-côte et je le consulte toujours lorsqu'il s'agit des marées et des courants. Si la dame a été jetée dans l'Helm à l'heure que nous supposons, la marée descendait. La lune est pleine et le courant a dû emporter le corps vers la côte opposée… mais reparaîtra-t-il et où ? Nous avons eu plusieurs noyades ici et nous n'avons pas retrouvé de cadavre. Il se brise parfois sur les rochers… d'autre part, il *peut* reparaître.

— Autrement, l'affaire sera compliquée, fit observer Bland. Vous êtes convaincu qu'on l'a jetée dans la rivière ?

— Je ne vois pas d'autre solution. Nous avons enquêté auprès du chemin de fer et des lignes d'autobus. Nous sommes ici dans un cul-de-sac. Elle était habillée d'une manière spectaculaire et n'a rien emporté. A mon avis, elle n'a pas quitté *Nasse* : son cadavre est, soit dans l'eau, soit enfoui dans le domaine. Mais il nous faut un *motif*. Et la jeune fille ?

— Elle a été témoin du crime… ou d'un incident suspect. Nous finirons bien par trouver, mais ce ne sera pas facile. »

Baldwin regarda la pendule à son tour.

« Allons », dit-il.

Sousa reçut les deux policiers avec sa courtoisie habituelle. Il leur offrit des rafraîchissements qu'ils refusèrent et s'intéressa à leurs activités :

« Faites-vous des progrès au sujet de la mort de la jeune fille ?

— Oui, nous avançons », répondit Bland.

Le *surintendent* releva le gant et expliqua avec tact l'objet de leur visite.

« Vous voulez visiter *L'Espérance* ? (Sousa ne paraissait pas inquiet, mais plutôt diverti.) Dans quel but ? Croyez-vous que je donne asile à l'assassin ? Ou supposez-vous que j'ai tué moi-même ?

— C'est nécessaire, monsieur, et je suis certain que vous le comprenez... S'il nous faut produire un mandat de perquisition... »

Le jeune homme leva les bras.

« Mais je désire vivement vous aider ! Agissons en amis... Vous êtes libres de fouiller mon bateau... Ah ! vous supposez peut-être que ma cousine, Lady Stubbs, a fui son mari et cherché refuge auprès de moi ? Cherchez, messieurs, cherchez ! »

Ce fut fait sans rien négliger et les deux policiers furent obligés, en dissimulant leur désappointement, de prendre congé d'Etienne de Sousa.

« Vous n'avez rien trouvé ? leur dit-il. C'est désolant... mais je vous avais prévenus qu'il en serait ainsi. Accepterez-vous maintenant un rafraîchissement ? Non, vraiment ? »

Il les accompagna jusqu'à l'endroit d'où l'on pouvait voir leur canot amarré, puis il demanda :

« Et moi ? M'autorisez-vous à partir ? Je commence

à m'ennuyer ici et le temps est favorable. J'aimerais aller à Plymouth.

— Voudriez-vous, monsieur, avoir l'obligeance de rester ici jusqu'après l'enquête qui est fixée à demain, pour le cas où le *coroner* désirerait vous poser une question ?

— Certes ! Je ferai tout ce qui sera en mon pouvoir... Mais ensuite ?

— Ensuite, répondit le *surintendent* Baldwin froidement, vous serez, évidemment, libre d'agir à votre guise. »

Tandis que leur canot s'éloignait, les deux policiers aperçurent le visage souriant de leur interlocuteur qui les suivait des yeux.

2

L'enquête ne présenta aucun intérêt pour le public. Après le rapport médical et la constation d'identité, on demanda un ajournement qui fut accordé aussitôt. Ce n'étaient là que des formalités.

Ce qui suivit fut moins banal : l'inspecteur Bland passa l'après-midi dans le bateau de plaisance appelé *La Belle-de-Devon*. Il quitta Brixwell vers trois heures, longea la côte et avança après être entré dans l'estuaire de la rivière Helm. En plus de Bland, il y avait environ deux cent trente personnes à bord. Le policier était assis à tribord et détaillait la rive boisée. Le bateau atteignit un coude de la rivière et passa devant le débarcadère isolé qui se trouvait à l'extrémité du domaine de *Hoodown.* Bland consulta sa montre : il était juste quatre heures quinze et l'on approchait de la remise à bateaux de *Nasse* qui se nichait parmi les arbres; on voyait son petit balcon et son petit quai. Rien ne prouvait qu'il y eût quelqu'un à l'intérieur, mais l'inspecteur savait que, suivant ses ordres, le *constable* Hoskins y était de faction.

Près de l'escalier de la petite construction, un canot se balançait. Il y avait un homme et une jeune fille, en tenue d'été, dans l'embarcation. La seconde criait et son compagnon faisait mine de la jeter à l'eau. Au même instant, une voix de stentor cria dans un magnétophone :

« Mesdames et messieurs, nous approchons du fameux village de Gitcham où nous resterons trois quarts d'heure, ce qui vous permettra de goûter un homard ou un crabe accompagné de la célèbre crème locale. Sur votre droite, vous pouvez, en ce moment, voir le domaine de *Nasse House* et, dans deux ou trois minutes, vous apercevrez, à travers les arbres, le château lui-même. Dans le passé, il appartenait à Sir Gervais Folliat, contemporain de Sir Francis Drake, avec lequel il avait fait le voyage du Nouveau Monde. Il appartient maintenant à Sir George Stubbs. A votre gauche, se trouve le fameux rocher Gooseacre où les maris déposaient les femmes irascibles à marée basse et les y laissaient jusqu'à ce que le flot leur montât jusqu'au cou. »

Tous les passagers regardèrent le rocher avec le plus vif intérêt. Des plaisanteries, accompagnées de gros rires et de glapissements se firent entendre... pendant ce temps, l'homme du canot poussa la jeune fille par-dessus bord, se pencha et la maintint dans l'eau en déclarant :

« Non, je ne vous remonterai que si vous promettez d'être sage ! »

A l'exception de l'inspecteur Bland, nul ne parut y prêter attention, car chaque passager continuait à examiner le château de Nasse et le rocher de Gooseacre.

L'homme lâcha la jeune fille qui plongea et reparut de l'autre côté de l'embarcation, qu'elle escalada adroitement : la détective Alice James était une nageuse accomplie.

Bland descendit à Gitcham avec les autres et alla goûter tout en pensant :

« Donc, cela *pouvait* se faire et *personne* ne l'eût remarqué ! »

3

Tandis que l'inspecteur tentait son expérience sur la rivière, Hercule Poirot en faisait une sur la pelouse du château, dans la tente où Mme Zuleika avait prédit l'avenir. Quand on avait démoli toutes les autres, il avait demandé qu'on épargnât celle-ci.

Il y entra, rabattit la toile de l'entrée et passa au fond de la tente. Il déplaça rapidement les panneaux, se glissa dehors, les relaça et se jeta dans la haie de rhododendrons qui s'y appuyait… Puis il gagna un petit pavillon rustique, en ouvrit la porte et entra.

Il faisait très sombre car les rhododendrons avaient grandi depuis que la construction existait. Il y avait une boîte contenant des balles de croquet et des arceaux rouillés, une ou deux cannes de hockey, de nombreuses araignées et, creusée dans la poussière qui recouvrait le sol, une marque de forme irrégulière. Poirot l'examina, s'agenouilla, prit un mètre-ruban dans sa poche et en mesura les dimensions avec soin... Après quoi, il hocha la tête d'un air satisfait.

Sortant sans bruit, il referma la porte et se remit en marche obliquement au travers des buissons, ce qui l'amena sur le sommet de la colline et, peu après, sur le sentier qui desservait *la Folie* et descendait ensuite vers la remise à bateaux.

Cette fois, il n'entra pas dans le petit temple, mais se dirigea vers la remise ; il en avait la clé et il y pénétra.

On avait enlevé le corps ainsi que le plateau, le verre et l'assiette ; autrement, tout était dans l'état que Poirot se rappelait. La police avait noté et photographié ce que contenait la pièce. Il s'approcha de la table et feuilleta les journaux illustrés. L'expression de son visage fut à peu près la même que celle de Bland tandis qu'il lisait les phrases griffonnées par Marlène avant sa mort :

Jackie Blake sort avec Suzanne Brown. Peter pince les filles au cinéma. Georgie Porgie embrasse les touristes dans les bois. Biddy Fox aime bien les garçons. Albert sort avec Doreen.

Poirot trouva ces réflexions plutôt amères et, se rappelant le visage ingrat et boutonneux de Marlène, pensa que les garçons ne devaient pas la poursuivre. Frustrée, la petite avait trouvé un dérivatif en surveillant ses contemporains… ce faisant, elle avait vu ce qui ne lui était pas destiné… en général, des incidents sans grande importance… Mais, une fois peut-être, quelque chose de sérieux dont elle-même n'avait pas mesuré la gravité…

Ce n'était, en somme qu'une conjecture et Poirot secoua dubitativement la tête. Il remit les journaux sur la table avec soin car son amour de l'ordre ne l'abandonnait jamais… Et, soudain, il fut saisi d'une impression de vide… Quelque chose manquait… Qu'était-ce ? Quelque chose qui *aurait dû* se trouver là…

L'idée fugitive s'effaça… Il sortit de la remise, ennuyé, mécontent de lui… Il avait été appelé pour empêcher un crime… et il ne l'avait pas empêché… Ce qui était encore plus humiliant, c'est qu'il n'avait pas, même à cette heure, la moindre idée de ce qui s'était passé… Le lendemain, il lui faudrait rentrer à Londres, battu. Son amour-propre était sérieusement touché et sa moustache elle-même pendait lamentablement !

Chapitre 15

Ce fut au bout de quinze jours que l'inspecteur Bland eut une longue conversation désagréable avec le chef *constable* du comté.

Le major Merrall avait d'épais sourcils en broussaille et ressemblait beaucoup à un fox-terrier furieux. Toutefois, ses subordonnés l'aimaient et avaient un grand respect pour son jugement.

« Eh bien ! disait-il, qu'avons-nous trouvé ? Rien qui nous permette d'agir ! Prenons le nommé Etienne de Sousa : nous ne pouvons absolument pas l'accuser du meurtre de la jeune Tucker. Evidemment, sa situation eût été différente si nous avions découvert le cadavre de Lady Stubbs. »

Il regarda Bland d'un air terrible et ajouta :

« Vous êtes bien convaincu que ce cadavre existe ?

— Et vous, monsieur ?

— Je suis de votre avis car, autrement, nous eussions retrouvé la trace de la vivante... à moins qu'elle n'ait combiné sa disparition avec un soin méticuleux. Or, je n'en vois pas la possibilité. Elle n'était pas riche : nous avons fait une enquête à ce sujet. La fortune appartient à son mari ; il lui donnait beaucoup d'argent de poche, mais elle ne possédait aucun capital. Et elle n'avait pas d'amourette, nul n'en a jamais parlé et, dans un petit pays comme celui-là… »

Le major fit quelques pas dans la pièce.

« La réalité n'est autre que celle-ci : nous ne savons rien ! Nous supposons que, pour une raison inconnue, le nommé de Sousa a tué sa cousine. Il semble probable qu'il l'ait attirée à l'embarcadère, l'ait emmenée dans son canot automobile et poussée par-dessus bord. Vous avez constaté que cela pouvait arriver ?

— Je crois bien, monsieur ! Pendant les vacances on pourrait noyer une masse de gens sans que l'attention soit éveillée, car les estivants passent leur temps à crier et à lutter. Seulement, de Sousa ignorait que la jeune fille était dans la remise, s'ennuyait à périr et devait regarder par la fenêtre.

— Hoskins a regardé par la fenêtre, a vu la scène que vous aviez préparée et vous ne l'avez pas aperçu.

— C'est exact, monsieur. On ne peut deviner qu'il y a quelqu'un dans cette pièce si la personne ne se montre pas sur le balcon.

— Peut-être cette fillette y a-t-elle paru. Alors, de Sousa a compris qu'elle voyait ce qu'il faisait, et revenu à terre, lui a demandé pourquoi elle était là et s'est fait ouvrir. Fière du rôle qu'elle jouait, elle le lui a expliqué ; il lui a jeté la corde autour du cou et voilà… »

Merrall fit un geste expressif et reprit :

« Nous pouvons dire que le crime a été commis ainsi, mais nous n'avons pas la moindre preuve… De surcroît, nous n'avons pas le cadavre de la dame et si nous tentions d'arrêter de Sousa, nous nous mettrions dans de beaux draps ! Nous sommes donc obligés de le laisser partir.

— En a-t-il l'intention ?

— Oui, dans huit jours. Il retourne chez lui.

— Nous n'avons pas grand temps, dit Bland d'un air sombre.

— Je suppose qu'il y a d'autres hypothèses ?

— Oh ! oui, monsieur. Je pense toujours que Lady Stubbs a dû être tuée par quelqu'un qui était au courant des modalités de la course à l'assassin. Deux personnes peuvent être écartées : Sir George et le capitaine Warburton. Ils s'occupaient des jeux sur la pelouse et y sont restés toute la journée, ainsi qu'en témoignent des douzaines de spectateurs. Le même alibi s'applique à Mrs. Masterton… en admettant qu'elle soit suspecte.

— Tous sont suspects, répliqua le major. Mrs. Masterton me téléphone sans cesse pour que je fasse venir des chiens policiers… S'il s'agissait d'un roman, elle n'en serait que plus désignée ! Mais j'ai connu Mrs. Masterton toute ma vie et je ne la vois pas en train d'étouffer une guide ou de faire disparaître une beauté exotique ! Alors, qui voyez-vous encore ?

— Mrs. Oliver, répondit Bland. C'est elle qui avait combiné la course à l'assassin. Elle est assez originale et elle est restée seule la plus grande partie de l'après-midi… Puis, il y a Mr. Alec Legge.

— Qui habite le cottage rose ?

— Oui. Il déclare qu'il a quitté la fête d'assez bonne heure, qu'il en avait assez et qu'il est rentré chez lui. D'autre part, le vieux Bardle, qui s'occupe des bateaux et qui fait garer les autos, affirme que Legge l'a croisé vers cinq heures alors qu'il retournait vers son cottage. Nous perdons, en conséquence, sa trace pendant une heure. Bien entendu, il dit que Bardle n'a aucune idée de l'heure… Il est évident qu'il a quatre-vingt-douze ans.

— C'est peu probant, fit observer Merrall, Legge aurait-il eu un motif quelconque pour tuer ?

— Il pouvait avoir fait la cour à Lady Stubbs, qui l'aurait menacé de le dire à sa femme ; il pouvait l'avoir assassinée et la petite Tucker en avoir été témoin…

— Puis, il aurait caché le corps de sa victime ?

— Oui… mais je ne vois ni quand ni comment. Mes hommes ont fouillé la propriété, n'ont vu aucune trace de terre remuée et n'ont rien trouvé sous aucun buisson. Si Legge a dissimulé le cadavre, il a pu jeter le chapeau dans l'eau pour détourner les soupçons. Marlène l'a vu et il l'a tuée à son tour… Nous en revenons toujours là… »

L'inspecteur s'interrompit et ajouta :

« Puis, il y a aussi Mrs. Legge.

— Qu'a-t-elle fait de suspect ?

— Bien qu'elle ait prétendu être restée entre quatre heures et la demie sous la tente des rafraîchissements, elle n'y était pas. Je m'en suis aperçu après avoir causé avec elle et avec Mrs. Folliat. D'autres témoignages corroborent celui-ci. Or, il s'agit de la demi-heure la plus sinistre… »

Bland s'interrompit à nouveau.

« Nous avons encore ce jeune architecte, Michaël Weyman. Il semble difficile de le mêler à tout cela, et pourtant, je le considère comme un meurtrier *potentiel…* Il est suffisant et calme et pourrait tuer sans se troubler… Je ne serais pas surpris qu'il fréquentât un milieu dépravé.

— Parce que vous êtes par trop austère, Bland ! déclara le major. Quel alibi offre-t-il ?

— Très vague, monsieur.

— Ce qui prouve qu'il est vraiment architecte, affirma le chef *constable* avec force. (Il venait de faire construire une maison au bord de la mer.) Ils sont si distraits qu'ils ont toujours l'air de tomber de la lune !

— Il prétend ignorer où il était et nul ne paraît l'avoir vu. On prétend qu'il plaisait à Lady Stubbs.

— Vous croyez donc au crime passionnel ?

— Je cherche simplement des motifs, monsieur, répliqua l'inspecteur d'un ton roide. Puis, il y a Miss Brewis…

— La secrétaire ?

— Oui, monsieur. Une femme fort énergique. »

Bland se tut encore une fois et Merrall le dévisagea avec attention. Puis il lui demanda :

« Vous n'êtes pas tranquille à son sujet ?

— Non, monsieur. Vous comprenez, elle avoue nettement s'être trouvée dans la remise à l'heure où le crime a dû être commis.

— Le dirait-elle si elle était coupable ?

— Peut-être… ce serait même l'attitude la plus adroite qu'elle puisse prendre. Elle a emporté un plateau de gâteaux et du sirop en annonçant ouvertement qu'elle le portait à la fillette ; sa présence là-bas était donc toute naturelle. Elle est revenue en disant que Marlène était en parfaite santé et nous n'avons pas mis sa parole en doute… Toutefois, monsieur, souvenez-vous du rapport médical : le docteur Cook a déclaré que la mort s'était produite entre quatre heures et cinq heures moins un quart. Or, seule la parole de Miss Brewis nous prouve que la petite était vivante à quatre heures quinze… De plus, nous avons relevé un détail curieux dans sa déclaration : elle m'a dit que c'était Lady Stubbs qui lui avait demandé d'aller ravitailler Marlène… Mais un témoin nous a garanti que Lady Stubbs n'aurait jamais pensé à cela et je crois que c'est vrai : Lady Stubbs ne pensait qu'à elle et à ses toilettes. Elle ne s'est jamais occupée de sa maison, ne commandait pas les menus, ne s'intéressait qu'à sa beauté… Plus j'y pense, moins je crois possible qu'elle ait donné l'ordre à Miss Brewis de porter un plateau à cette enfant.

— En effet, Bland, votre raisonnement est exact. Mais quelle raison avait la secrétaire pour commettre ce crime ?

— Aucune en ce qui concerne Marlène… mais je crois qu'il n'en était pas de même pour tuer Lady Stubbs : d'après ce que dit Mr. Poirot – dont je vous ai parlé – Miss Brewis est éperdument éprise de son patron… Supposons qu'elle ait suivi Lady Stubbs dans le logis, l'ait tuée, puis que la jeune Tucker soit sortie et l'ait vue… Il lui a fallu s'en débarrasser… Qu'a-t-elle fait ensuite ? Elle a mis le corps dans l'embarcadère, est rentrée au château, a préparé le plateau, puis est retournée à la remise… Son absence n'a pas semblé suspecte et notre seule preuve que *Marlène était vivante à quatre heures quinze* s'appuie sur sa déposition. »

Le chef *constable* soupira.

« Bien, Bland. Creusez cette idée… Mais, si vous

la croyez coupable, qu'a-t-elle fait du corps de Lady Stubbs ?

— Elle l'a, soit caché dans les bois en l'y enterrant, soit jeté dans la rivière.

— Ce dernier geste me paraît difficile !

— Cela dépend de l'endroit où le crime a été commis, répondit l'inspecteur. Miss Brewis est une femme robuste et, si elle n'était pas loin du débarcadère, *elle a pu* transporter le cadavre jusqu'au bord du quai et le faire basculer.

— Alors que tous les passagers des bateaux de plaisance qui remontent la rivière pouvaient la voir ?

— C'était risqué, mais pas impossible... Du reste, je crois plutôt qu'elle a caché le corps et n'a jeté que le chapeau. Connaissant bien la maison et le domaine, elle avait pu repérer un endroit où elle dissimulerait le corps provisoirement, quitte à l'immerger plus tard. Qui sait ?... En admettant qu'elle soit coupable, ajouta Bland. En réalité, je penche plutôt pour de Sousa... »

Le major avait pris des notes. Il releva la tête et déclara :

« En résumé, voici : nous connaissons cinq ou six personnes qui *ont pu* tuer Marlène Tucker. Certaines paraissent plus indiquées que les autres, mais c'est tout. Nous pouvons affirmer qu'elle a été assassinée parce qu'elle avait vu quelque chose... Mais tant que nous ignorerons ce qu'elle avait vu, *nous ne saurons pas qui est le criminel.*

— Vous rendez le problème difficile, monsieur.

— Il l'est ; mais nous le résoudrons... avec le temps.

— Seulement, monsieur, cet homme aura quitté

l'Angleterre en se moquant de nous, après avoir commis deux meurtres !

— Vous êtes donc certain de sa culpabilité ? Je ne dis pas que vous avez tort… mais cependant… »

Le chef *constable* se tut un instant, puis reprit en haussant les épaules :

« Quoi qu'il en soit, cela vaudrait mieux qu'avoir affaire à un fou qui eût probablement commis un troisième crime.

— On prétend que tout va par trois », répondit Bland d'un air triste.

Il répéta la phrase le lendemain matin lorsqu'il apprit que le vieux Bardle qui revenait en canot de son estaminet favori, à Gitcham, et devait avoir bu plus que de raison, était tombé à l'eau en accostant. Son embarcation fut retrouvée à la dérive et l'on repêcha son corps peu après.

L'enquête fut courte et simple : la soirée avait été sombre, le vieillard – qui avait quatre-vingt-douze ans – avait bu trois chopes de bière…

On conclut à une mort accidentelle.

Chapitre 16

1

Hercule Poirot était assis sur un siège carré devant la cheminée carrée de son bureau carré, à Londres. Il examinait divers petits objets qui, eux, n'avaient pas la même forme, étant, au contraire, fortement incurvés. Etudiés séparément, on pouvait se demander s'ils n'avaient pas été dessinés par un dément et à quoi ils servaient...

Bien au contraire, chacun avait une fonction précise et, rassemblés, ils formaient une image... En d'autres termes, Poirot travaillait à un puzzle...

Il étudia un espace vide aux bords étrangement déchiquetés ; cette occupation lui paraissait agréable, reposante et offrait, lui semblait-il, quelque analogie avec sa profession où il fallait ramener l'ordre dans le désordre. Là aussi, il se trouvait en présence de faits à l'aspect étrange qui paraissaient illogiques, n'avaient, à première vue, aucun rapport entre eux et qui, dûment assemblés, formaient un tout. Il saisit un fragment gris et l'ajusta au milieu d'un ciel bleu, ce qui lui donna un morceau d'avion.

« Oui, murmura-t-il, voilà ce qu'il faut faire : prendre le détail improbable, le geste banal, écarter le fait qui semble probant… Une fois ajustés, l'affaire est terminée… tout est clair… »

Il réunit le mur d'un minaret, un morceau qui ressemblait à une étoffe rayée et se trouvait être le dos d'un chat, puis la moitié d'un nuage rose… Tout en les assemblant, il continuait à marmotter :

« Si seulement on savait ce qu'il faut trouver, ce serait si facile ! Mais on l'ignore, de sorte qu'on cherche aux mauvais endroits des objets inutiles… »

Il soupira et son regard abandonna le puzzle pour se fixer sur la chaise vide qui était en face de lui. Moins d'une demi-heure auparavant, l'inspecteur Bland y était assis, buvait du thé et mangeait des biscuits (carrés) tout en parlant avec mélancolie.

Etant venu à Londres pour son service et ayant eu un instant de liberté, il était venu faire une visite à Mr. Poirot. Il se demandait si celui-ci avait pensé à l'affaire de *Nasse* et lui avait exposé ses propres réflexions. Son interlocuteur les avait approuvées en estimant que Bland voyait la situation sans parti pris…

Il y avait plus d'un mois, près de cinq semaines, que l'affaire était en cours, mais rien n'avait surnagé : le corps de Lady Stubbs n'avait pas été trouvé et, si la jeune femme était toujours vivante, elle s'était littéralement évaporée. Bland jugeait sa survie improbable et Poirot était de son avis.

« Certes, avait déclaré l'inspecteur, le cadavre a pu rester au fond de l'eau… on ne sait jamais… et s'il reparaît, il ne sera plus identifiable.

— Il y a encore une hypothèse », avait répondu Poirot.

Bland avait acquiescé.

« Oui, j'y ai pensé et j'y pense toujours : vous supposez que la victime est à *Nasse*, cachée là où nous n'avons pas cherché ? Ce n'est pas impossible... Dans une vieille maison, entourée d'un parc semblable, il y a des endroits auxquels on ne songe même pas et dont on ignore jusqu'à l'existence... »

Il s'était arrêté puis avait ajouté :

« Tenez, j'étais, l'autre jour, dans une maison où l'on avait, pendant la guerre, construit un abri anti-aérien, assez léger, du reste, dans le jardin ; on l'avait relié à la cave du bâtiment par un passage souterrain. Une fois la guerre terminée, l'abri s'est effondré, on en a fait une rocaille pour y cultiver des plantes grasses. Jamais on ne supposerait maintenant qu'il y a une chambre dessous et qu'un couloir, dissimulé dans la cave sous un grand tonneau, y conduit ! Voilà ce que je crois : il existe à *Nasse* une cachette inconnue... Ce n'est pas un « Trou à prêtre » ou quelque chose d'approchant ?

— L'époque de la construction ne cadre guère.

— C'est ce que dit Mr. Weyman : la maison a été bâtie vers 1790 et, en Angleterre, les prêtres ne cherchaient pas à se cacher. Toutefois, il peut y avoir un abri dissimulé dans les murs et dont les propriétaires avaient connaissance. Qu'en pensez-vous ?

— C'est possible... oui, c'est une idée... Mais qui le saurait ?

— Un habitant de la maison... mais cela innocenterait de Sousa... »

Comme celui-ci était son suspect numéro un, l'inspecteur avait paru navré, tandis qu'il continuait :

« Oui, un domestique ou un membre de la famille ; moins probablement un visiteur de passage et les personnes venant de l'extérieur, telles que le ménage Legge, encore moins.

— La personne qui pourrait vous renseigner si vous l'interrogiez serait Mrs. Folliat », avait dit Poirot.

Il pensait qu'elle savait tout ce qui touchait à son ancienne demeure… et bien d'autres choses encore. Elle avait compris tout de suite que Hattie Stubbs et Marlène étaient mortes, que le monde et ses habitants étaient méchants… Oui, Mrs. Folliat devait posséder la clé du mystère, mais ne la tournerait pas volontiers.

« J'ai interrogé cette dame plusieurs fois, avait répondu Bland. Elle a été fort aimable et a paru désolée de ne rien pouvoir m'apprendre. »

« *Pouvoir* ou *vouloir* ? » s'était dit Poirot.

L'inspecteur était peut-être du même avis.

« Il y a des femmes, avait repris Bland, qu'on ne peut ni effrayer, ni convaincre, ni tromper… »

Et son interlocuteur estimait qu'il en était ainsi de Mrs. Folliat… Bland, ayant bu son thé, avait soupiré, était parti et Poirot avait pris son puzzle pour tenter de calmer son irritation… car il était furieux et même humilié. Mrs. Oliver l'avait appelé pour qu'il élucidât le mystère qu'elle pressentait… et qui existait ! Elle avait été convaincue d'abord qu'Hercule Poirot en empêcherait l'exécution… et il n'avait rien empêché ! Ensuite qu'il découvrirait le tueur… et il n'avait rien trouvé ! Il marchait entouré d'une brume que trouait, parfois, un éclair fugitif qu'il ne pouvait saisir !

Il se leva, passa de l'autre côté de l'âtre, disposa la

seconde chaise carrée de manière qu'elle occupât une position géométrique et s'y assit. Il abandonnait son puzzle criminel. Prenant un carnet dans sa poche, il écrivit en petite majuscules régulières :

ETIENNE DE SOUSA – AMANDA BREWIS – ALEC LEGGE – PEGGY LEGGE – MICHAËL WEYMAN.

Il avait été matériellement impossible à Sir George ou à Jim Warburton de tuer Marlene Tucker. Comme il n'en était pas de même pour Mrs. Oliver, il ajouta son nom en ménageant un espace après les autres. Il écrivit encore celui de Mrs. Masterton, qu'il ne se souvenait pas d'avoir vue sur la pelouse entre quatre heures et cinq heures moins un quart. Il traça aussi le nom du maître d'hôtel Hendon, plutôt parce que la romancière avait fait figurer un sinistre domestique parmi les personnages de la course à l'assassin, que parce qu'il soupçonnait le virtuose du gong. Il écrivit enfin : *Jeune homme à la chemise aux tortues*, en laissant suivre la phrase d'un point d'interrogation.

Puis il sourit, hocha la tête, prit une épingle au revers de son veston, ferma les yeux et frappa. Ce moyen d'invoquer le sort en valait un autre... Mais il fut vexé en constatant que la pointe avait troué le dernier nom...

« Je suis un imbécile ! Qu'est-ce que ce garçon pourrait faire dans ce méli-mélo ? »

Toutefois, il se rendit compte qu'il avait eu une raison pour ajouter à sa liste l'énigmatique étranger. Il se remémora le jour où il était assis dans *la Folie* et où le jeune homme avait paru étonné de le voir. Son visage était beau mais peu sympathique, car il révélait l'arrogance et la cruauté. Il était venu dans un but déterminé. Il comptait rencontrer quelqu'un et s'en cachait... Pourquoi ? Ce rendez-vous avait-il trait au crime ?

Poirot poursuivit ses déductions : ce garçon séjournait à l'Auberge de jeunesse, mais n'y passerait que deux nuits. Y était-il venu au hasard comme beaucoup d'autres étudiants qui visitaient la région ? Ou dans un but spécial pour voir quelqu'un ? La kermesse pouvait fournir l'occasion d'une rencontre qui paraîtrait fortuite...

« J'en sais assez long, pensa le criminologiste et j'ai en main pas mal de fragments du puzzle... j'ai même idée du genre de crime dont il s'agit... mais je ne dois pas le regarder sous un angle approprié ! »

Il tourna une page de son carnet et écrivit :

Lady Stubbs a-t-elle vraiment prié Miss Brewis de porter un plateau à Marlène ? Dans la négative, pourquoi la secrétaire le prétend-elle ?

Il réfléchit à la question : Miss Brewis pouvait avoir eu l'idée de faire goûter la fillette, mais pourquoi ne pas l'avoir dit ? Pourquoi avoir prétendu qu'elle avait reçu un ordre de Lady Stubbs ? En arrivant au débarcadère, Miss Brewis avait-elle *trouvé Marlène morte* ? A moins qu'elle ne l'eût assassinée elle-même, cela paraissait peu vraisemblable, car elle n'était ni affolée, ni imaginative. Si elle avait trouvé la petite sans vie, elle eût donné l'alarme.

Poirot regarda attentivement les deux questions qu'il

venait d'écrire. Il avait l'intuition qu'elles contenaient un indice précieux qui lui échappait. Puis il traça ce qui suit :

Etienne de Sousa déclare qu'il a écrit à sa cousine trois semaines avant d'arriver chez elle. Est-ce vrai ou faux ?

Poirot était à peu près sûr que c'était faux. Il se rappelait ce qui s'était passé au cours du petit déjeuner : pourquoi Sir George ou sa femme eussent-ils joué la surprise et, en ce qui concernait Lady Stubbs, un désarroi qu'ils n'éprouvaient pas ? Il ne pouvait l'imaginer. Mais si le jeune homme avait menti, quel était son but ? Faire croire que sa visite était annoncée et bienvenue ? C'était possible, mais assez invraisemblable. Certes, il ne pouvait fournir la preuve que cette lettre avait été envoyée et reçue... Voulait-il établir son identité ? Sir George l'avait accueilli aimablement, tout en ne le connaissant pas.

Arrivé à cet instant de ses réflexions, Poirot s'arrêta. *Sir George ne connaissait pas de Sousa. Lady Stubbs, qui le connaissait, ne l'avait pas vu.* Etait-ce significatif ? Le jeune homme qui était arrivé ce jour-là, n'était-il pas le véritable Etienne de Sousa ? En examinant cette hypothèse, Poirot n'en vit pas la portée. Quel intérêt un imposteur aurait-il eu ? De toute façon, le cousin n'avait rien à espérer de la mort de Lady Stubbs. La police avait découvert que Hattie n'avait aucune fortune personnelle.

Il essaya de se rappeler ce que la jeune femme lui avait dit ce matin-là :

« C'est un méchant homme... »

Et, d'après Bland, elle avait affirmé à son mari :

« Il tue les gens. »

A la lueur de ce qui s'était passé ensuite, cette dernière phrase prenait un sens. Le jour où Etienne de Sousa était venu à *Nasse*, une et peut-être deux personnes avaient été tuées...

Mrs. Folliat avait affirmé avec force qu'il ne fallait accorder aucune attention à ce que pouvait dire Hattie... Mrs. Folliat...

Hercule Poirot fronça les sourcils, frappa le bois de son siège et murmura :

« J'en reviens sans cesse à cette vieille dame. Elle tient la clé de toute l'affaire. Si je savais ce qu'elle sait... Je ne puis rester plus longtemps assis à réfléchir ! Non, il faut que je reparte pour le Devonshire et que j'aille voir Mrs. Folliat. »

2

Il s'arrêta un instant devant les hautes grilles en fer forgé du domaine de *Nasse* et regarda la grande allée qui s'incurvait. L'été avait passé, des feuilles dorées tombaient des arbres et les pentes herbeuses s'étoilaient de petits cyclamens mauves. Poirot soupira. La beauté de la propriété s'imposait à lui. En général, il n'admirait pas la nature sauvage ; il aimait les jardins ordonnés mais il ne pouvait s'empêcher d'apprécier l'harmonie des buissons et des arbres.

Le petit pavillon blanc s'élevait à sa gauche. Comme

il faisait très beau, Mrs. Folliat ne devait pas être au logis. Elle devait jardiner ou faire une visite chez des amis aux environs. Elle n'en manquait pas, car elle avait habité le pays depuis sa jeunesse. Le vieillard du quai l'avait dit :

« Il y a toujours eu des Folliat au château de *Nasse*.»

Poirot frappa doucement à la porte et, au bout d'un instant, il entendit des pas à l'intérieur; ils lui semblèrent lents et hésitants. Puis le battant s'ouvrit et Mrs. Folliat parut sur le seuil. Son visiteur fut frappé de son aspect vieilli et fragile. Elle le regarda, puis murmura :

« Comment, c'est vous, monsieur ? »

Il eut l'impression qu'une crainte s'allumait dans ses yeux, puis pensa que c'était de l'imagination et demanda avec courtoisie :

« Puis-je entrer, madame ?

— Bien sûr. »

Elle avait recouvré sa dignité, lui fit signe d'approcher et le conduisit dans un petit salon. Il y avait de délicats bibelots de Saxe sur la cheminée, des chaises couvertes d'une ravissante tapisserie au petit point et un service à thé en fine porcelaine sur une table.

« Je vais chercher une autre tasse », dit la maîtresse de maison.

Poirot fit un geste de protestation, mais elle reprit :

« Il faut que vous preniez du thé. »

Elle sortit et il regarda autour de lui : un dessus de chaise au petit point en voie d'achèvement et où l'aiguille était piquée était posée sur une table. Une étagère remplie de livres s'appuyait au mur et des miniatures l'encadraient. Il y avait également, dans un cadre d'argent, une photographie fanée représentant un homme en uniforme, à la moustache cirée et au menton mou.

Mrs. Folliat revint portant une tasse et une soucoupe et Poirot lui demanda :

« Ce portrait est celui de votre mari, madame ?

— Oui. »

Puis, comme elle remarquait que son regard paraissait chercher d'autres portraits, elle ajouta d'un ton assez brusque :

« Je n'aime pas beaucoup les photographies. Elles vous font par trop vivre dans le passé. Il faut apprendre à oublier et savoir élaguer les branches mortes. »

Poirot se souvint que Mrs. Folliat taillait au sécateur les buissons d'un talus la première fois qu'il l'avait vue. Elle avait déjà parlé de bois mort. Il la dévisagea d'un air pensif et se fit une idée plus nette de sa nature : cette femme était énigmatique et en dépit de sa douceur, de sa fragilité apparente, devait pouvoir être sans pitié et savoir élaguer le bois mort de sa propre vie.

Elle s'assit, versa une tasse de thé et s'enquit :

« Du sucre ? Du lait ?

— Trois morceaux, si vous voulez bien, madame. »

Quand elle tendit la tasse à Poirot, elle reprit du ton de la conversation ordinaire :

« J'ai été surprise de vous voir. Je ne sais pourquoi, je ne pensais pas que vous auriez l'occasion de revenir par ici.

— Je ne suis pas passé par hasard.

— Vraiment ? » Mrs. Folliat leva les sourcils d'un air interrogateur.

« Je suis venu en grande partie pour vous voir. Tout d'abord, avez-vous des nouvelles de Lady Stubbs ? »

La vieille dame secoua la tête.

« Un corps a été rejeté l'autre jour sur la côte de Cornouailles. George est allé voir, mais ce n'était pas sa femme. Je suis navrée à son sujet car la tension est trop forte.

— Suppose-t-il encore que sa femme est vivante ? »

Mrs. Folliat secoua encore la tête lentement.

« Je crois qu'il n'a plus d'espoir. Si elle n'était pas morte, elle ne pourrait se cacher alors que toute la presse et toute la police la cherchent. Même si elle avait perdu la mémoire, la police l'eût retrouvée, ne croyez-vous pas ?

— Cela semble probable. Cherche-t-on toujours ?

— Je suppose, mais je n'en sais rien.

— Et Sir George ?

— Il ne dit rien et je l'ai peu vu, car il a surtout séjourné à Londres.

— Y a-t-il eu du nouveau en ce qui concerne l'assassinat de la jeune fille ?

— Pas que je sache… Ce crime paraît sans objet, pauvre petite !

— Vous en êtes toujours bouleversée, n'est-ce pas, madame ? »

Mrs. Folliat garda le silence un instant, puis répondit :

« Quand on est vieille, la mort d'un être jeune vous trouble toujours. On s'attend à quitter la vie, mais une enfant comme celle-là avait l'avenir devant elle.

— Il pouvait ne pas être intéressant.

— A nos yeux, peut-être, mais pas aux siens.

— D'ailleurs, ajouta Poirot, tout en sachant qu'il nous faut mourir, nous autres vieux n'y tenons pas. Moi, du moins, car je trouve encore l'existence intéressante.

— Pas moi... »

Elle avait parlé pour elle-même et ses épaules s'affaissèrent encore plus tandis qu'elle reprenait :

« Je suis très lasse, monsieur, et je serai non seulement prête, mais reconnaissante, quand mon heure sonnera. »

Il lui jeta un regard vif et se demanda – ainsi qu'il se l'était déjà demandé – si c'était une malade qui lui parlait, ayant la certitude que la mort approchait ? Autrement, il ne s'expliquerait pas sa profonde fatigue... Amy Folliat était énergique, ne manquait pas de décision, avait connu bien des revers, perdu sa maison, sa fortune, ses enfants. Pourtant, elle avait survécu et « coupé le bois mort », d'après ses propres paroles. Seulement, il y avait maintenant dans sa vie quelque chose que nul ne pouvait couper. S'il ne s'agissait pas d'une maladie grave, qu'était-ce ? Elle sourit un peu, comme si elle lisait dans la pensée de son visiteur et déclara :

« Je n'ai plus beaucoup de raisons de m'accrocher à la vie. Certes, j'ai des amis, mais pas de famille proche... »

Un instinct poussa Poirot à répondre :

« Vous avez votre maison.

— Vous parlez de *Nasse* ? Oui...

— C'est toujours votre maison, n'est-ce pas, bien

qu'elle appartienne légalement à Sir George Stubbs ? En ce moment où il est à Londres, vous le remplacez. »

Il revit une terreur passer dans les yeux de la vieille dame, qui répliqua d'un ton glacial :

« Je ne comprends pas bien ce que vous voulez dire, monsieur. Certes, je suis reconnaissante à Sir George de me louer ce pavillon... car je le loue et lui paie une somme annuelle qui m'autorise à me promener dans la propriété. »

Poirot étendit les mains.

« Oh ! je m'excuse, je ne voulais pas vous froisser.

— J'ai, sans doute, mal interprété vos paroles, répliqua-t-elle froidement.

— Ce domaine est magnifique et l'on y respire la paix et la sérénité.

— Oui, n'est-ce pas ? s'écria-t-elle, tandis que son visage s'éclairait. Nous avons toujours eu cette impression que j'ai ressentie, étant enfant, la première fois que je suis venue ici.

— Cette paix et cette sérénité existent-elles encore à présent ?

— Que voulez-vous dire ?

— Il y a désormais un crime impuni... le sang innocent a été versé. Tant que l'ombre n'en sera pas dissipée, la paix ne reviendra pas. Je crois que vous le sentez aussi bien que moi, madame... »

Mrs. Folliat ne répondit pas et demeura parfaitement immobile. Poirot ne devina pas quelle était sa réaction, il se pencha en avant et continua :

« Vous en savez très long au sujet de ce crime, vous n'en ignorez peut-être rien. Vous connaissez l'assassin de cette enfant et vous savez pourquoi on l'a tuée. Vous savez également qui a fait mourir Hattie Stubbs et, peut-être même, où gît son corps. »

Elle répondit d'une voix forte et sèche :

« Je ne sais rien, *rien...*

— Peut-être ai-je employé un mot inexact : vous ne savez rien, mais je crois que vous *devinez*, j'en suis même absolument sûr.

— Ce que vous dites est – pardonnez-moi – ridicule.

— Ce n'est pas ridicule, c'est *dangereux*.

— Dangereux ? Pour qui ?

— Pour vous, madame. Tant que vous garderez pour vous ce que vous savez, vous serez en danger. Je connais mieux les criminels que vous, madame.

— Je vous ai déjà dit que je ne sais rien.

— Vous avez, au moins, des soupçons...

— Aucun.

— Veuillez m'excuser, ce n'est pas vrai...

— Exprimer de simples soupçons serait mal... même cruel.

— Aussi cruel que ce qui a été commis ici il y a un peu plus d'un mois ? »

Mrs. Folliat se rejeta au fond de son siège et murmura :

« Ne m'en parlez pas... »

Elle frissonna et ajouta :

« Du reste, c'est fini...

— Comment pouvez-vous dire cela, madame ? Je vous répète qu'un assassin n'a *jamais* fini. »

Elle secoua la tête.

« Si, la chose est terminée et, de plus, je ne puis rien faire. Rien. »

Poirot se leva et la dévisagea. Elle ajouta avec impatience :

« Même la police a tout abandonné ! »

Il fit un signe négatif :

« Vous faites erreur, madame. Elle n'abandonne pas... et moi non plus. Souvenez-vous, madame, de ces mots : *Hercule Poirot n'abandonne jamais !* »

Il sortit sur cette phrase menaçante.

Chapitre 17

En quittant *Nasse*, Poirot se rendit au village où, après s'être renseigné, il trouva le cottage occupé par la famille Tucker. Le coup qu'il frappa resta sans réponse un moment, car il avait été noyé par la voix aiguë de Mrs. Tucker.

« Quoi c'est qu'tu penses, Jim, d'entrer avec tes gros souliers sur mon beau lino. J'te l'ai dit cent fois ! J'l'ai frotté toute la matinée. Regard'-le maint'nant ! »

Un vague grognement répondit et la femme reprit :

« T'as pas à oublier ! Mais t'es trop pressé d'prend'les résultats du sport à la Teu Seu Feu. Et toi, Gary, qué'q tu fais avec ce bonbon ? J'veux pas des doigts poisseux su'ma théière... Marylin, y a quéqu'un à la porte. Va voir qui qu'c'est ! »

Le battant fut ouvert avec précaution et une fillette de douze ans environ jeta un regard inquiet à Poirot : elle était obèse, avait de petits yeux bleus, mais promettait de ne pas être laide.

« C'est un m'sieur, m'man », cria-t-elle.

Mrs. Tucker dont les cheveux pendaient en mèches sur une figure rouge, approcha et demanda sèchement :

« Qu'est-ce que c'est ? Nous n'avons pas b'soin... »

Elle s'interrompit et reprit :

« Voyons, c'est-y pas vous qu'j'ai vu avec la police, le jour où…

— Hélas ! madame, je vous rappelle des heures tristes », répondit Poirot, en franchissant le seuil sans hésiter.

Mrs. Tucker jeta un regard inquiet sur ses chaussures, mais les souliers vernis de son visiteur n'étaient pas boueux…

« Voulez-vous entrer, monsieur ? » dit-elle en reculant et en ouvrant une porte sur la droite.

Poirot pénétra dans un petit parloir d'une propreté écrasante, qui sentait l'encaustique, le vernis, et dont le lourd mobilier d'acajou se complétait de deux pots de géraniums, d'un garde-feu en cuivre et d'une quantité de bibelots chinois.

« Asseyez-vous, monsieur. J'me rappelle pas vot'nom. Je crois même l'avoir jamais su.

— Je me nomme Hercule Poirot ; je me suis retrouvé dans cette région et suis venu vous offrir mes condoléances. J'espère que l'assassin de votre fille a été arrêté ?

— Y en a pas trace, répondit Mrs. Tucker avec amertume, et c'est z'un scandale, j'vous l'affirme. La police s'donne pas d'mal quand c'est qu'y s'agit d'gens comme nous ! D'ailleurs, à quoi qu'elle ressemble ? Si tous les agents sont comme Bob Hoskins… C'qui m'éton', c'est qu'il y ait pas plus d'crimes ! Il passe son temps à ouvrir les autos qui sont parquées dans l'terrain communal ! »

A ce moment, Mr. Tucker parut sur le seuil ; il marchait sur ses chaussettes, était gros, rougeaud et avait l'air paisible.

« La polic'est très bien, affirma-t-il d'une voix enrouée. L'a ses ennuis comme tout l'monde. Ces maniaques sont pas faciles à dénicher ! Ils ressemblent à vous ou à moi, s'pas ? »

La petite fille qui avait ouvert à Poirot parut derrière son père, et un gamin, qui devait avoir huit ans, glissa la tête par-dessus son épaule. Tous dévisagèrent l'inconnu avec un vif intérêt.

« C'est votre plus jeune fille, je suppose ? demanda celui-ci.

— Oui, c'est Marylin... et voilà Gary. Viens dir'bonjour poliment !

— L'est timide, affirma sa mère.

— C'est très aimable à vous, monsieur, de vous intéresser à la mort de Marlène, dit le père. C'est z'une terrible affaire, pour sûr.

— Je viens d'aller voir Mrs. Folliat, déclara Poirot. Elle semble en être très bouleversée.

— L'a été malade depuis, répondit Mrs. Tucker. C'est z'une vieille dame et ça a été un coup pour elle, pac'que ça s'est produit dans sa *propriété*. »

Poirot nota, une fois de plus, la tendance à considérer *Nasse* comme appartenant toujours à Mrs. Folliat.

Tucker reprit :

« Elle se sent un peu responsable, quoiqu'elle y soit pour rien !

— Qui est-ce qui avait choisi Marlène pour représenter la victime ?

— La dame de Londres qu'écrit des livres », affirma Mrs. Tucker.

Poirot fit observer doucement :

« Mais elle n'est pas d'ici et ne connaissait pas votre fille.

— C'est Mrs. Masterton qu'avait enrôlé les filles et c'est p't'être bien elle qu'a proposé Marlène, reconnut sa mère. La p'tite était content'comme tout ! »

Poirot eut, à nouveau, l'impression de se heurter à un mur… Toutefois, il comprenait maintenant pourquoi Mrs. Oliver l'avait fait venir : quelqu'un avait agi dans l'ombre et avait suggéré ses propres intentions à des personnes innocentes, telles que la romancière et Mrs. Masterton.

« Je me suis demandé, dit-il, si Marlène connaissait ce… fou meurtrier ?

— Oh ! répondit la mère, d'un air scandalisé, elle ne connaissait personne comme ça !

— Votre mari a fort bien observé tout à l'heure que ces maniaques sont fort difficiles à démasquer. Quelqu'un a pu parler à la petite pendant la fête ou même avant et se montrer aimable de la manière la plus innocente… peut-être lui faire un cadeau…

— Oh ! non, monsieur ! Marlène aurait pas accepté d'cadeau d'un étranger ! J'l'avais mieux élevée qu'ça ! »

Poirot insista :

« Elle pouvait n'y voir aucun mal… par exemple s'il s'était agi d'une aimable dame.

— Vous voulez dir'quelqu'un comme la jeun' Mrs. Legge, qu'habite le Cottage du Moulin ?

— Par exemple…

— L'a donné un bâton d'rouge à Marlène, une fois. J'étais furieus'et j'y ai dit : « J'veux pas qu'tu mettes « c'te saleté sur ta figur'. Pens'à c'que ton pèr'il dirait !

« — Ben, qu'elle m'a répondu, c'est la dam'du cotta-
« ge qui m'a la offert, ça m'irait bien, qu'elle m'a dit !

« — Faut pas écouter c'que racont'les dames de
« Londres, qu'j'y ai répondu. Elles peuvent peinturer
« leurs figur'si qu'ça les amuse, mais t'es un'fille sé-
« rieuse et tu continu'ras d'te laver l'museau à l'eau et
« au savon pendant cor'longtemps ! »

— Je suppose qu'elle n'était pas de votre avis ? dit Poirot en souriant.

— Quand j'dis quéqu'chos', faut qu'on m'écoute », affirma Mrs. Tucker.

La grosse Marylin ricana et Poirot lui jeta un regard aigu. Puis il demanda :

« Est-ce que Mrs. Legge a fait d'autres cadeaux à Marlène ?

— J'crois qu'elle lui a donné un'écharpe qu'elle avait plus besoin. Du tape-à-l'œil mais d'la camelote. Je connais les beaux tissus parce que j'travaillais au château de *Nasse* quand j'étais jeune. Dans c'temps-là, les dames portaient d'vraies étoffes. Pas des couleurs voyantes, ni tout c'nylon et c'te rayonne ; de la vraie soie. Et le taffetas d'leurs robes aurait pu s'tenir tout seul !

— Les jeunes filles aiment les fanfreluches, fit observer Tucker avec indulgence, et je déteste pas les couleurs vives. Mais je tolère pas c't'affreux rouge à lèvres !

— J'ai été un peu brusque avec Marlène, murmura la mère, dont les yeux s'emplissaient de larmes. J'l'ai regretté quand c'est qu'elle est partie de c'te manière affreuse. Ah ! nous n'avons plus qu'des peines et des enter'ments ! Un ennui n'vient jamais seul, à c'qu'on dit, et c'est bien vrai !

— Vous avez eu un autre deuil ? interrogea poliment Poirot.

— Oui, le père de ma femme, expliqua Tucker. Revenait tard un soir dans son bateau, des *Trois-Chiens*, l'a dû glisser su'l'quai et l'est tombé dans l'eau. Pour sûr qu'il aurait pas dû sortir l'soir, vu son âge. Mais les vieux veulent rien entendre et l'était tout l'temps à bricoler su'l'quai.

— L'père aimait toujours les bateaux, expliqua Mrs. Tucker. S'en occupait du temps d'Mr. Folliat, y a des années. Sa mort n'est pas une si grande perte, conclut-elle avec calme. L'avait plus d'quatre-vingt-dix ans et l'était souvent assommant... toujours en train d'raconter quéqu'sottise ! L'était temps qu'y parte. Mais a bien fallu l'enterrer joliment, et deux enter'ments qui se suivent, ça fait beaucoup d'argent. »

Ces réflexions d'ordre pratique échappèrent à Poirot, car un souvenir le frappait.

« Un vieillard... sur le quai. Je crois lui avoir parlé. Il s'appelait ?

— Bardle, monsieur. Mon nom d'jeune fille.

— Il me semble qu'il avait été jardinier-chef à *Nasse* ?

— Non, c'était mon frère aîné, j'étais la plus jeune, onze enfants qu'nous étions. »

Elle ajouta, non sans fierté :

« Y a toujours eu des Bardle à *Nasse* pendant des années, mais sont tous partis. P'pa était l'dernier.

— *Il y aura toujours des Folliat à* Nasse, murmura Poirot.

— Pardon, monsieur ?

— Je répète une phrase que votre père m'a dite sur le quai.

— Oh ! disait un tas d'bêtises. Fallait l'fair'taire souvent.

— Donc, Marlène était sa petite-fille ? Je commence à comprendre… »

Poirot se tut un moment, en proie à une intense émotion, puis il demanda :

« Votre père a donc été noyé ?

— Oui, monsieur. L'avait bu un coup d'trop. J'comprends pas où c'est qu'il avait pris l'argent. Pour sûr qu'on lui donnait d'quoi boire su'l'quai quand il aidait les gens. L'était très malin pour m'cacher ses sous ! Oui, j'ai peur qu'il ait bu un coup d'trop. L'a perdu pied en sautant su'l'quai, l'est tombé et s'est noyé. Son corps l'a été rej'té à Helmmouth, le lendemain. C'est z'un miracle que ça soit pas arrivé plus tôt, vu son âge et qu'il était à moitié aveugle.

— Pourtant, ce n'était jamais arrivé… murmura Poirot.

— Dame ! les accidents ils viennent un jour ou l'autre.

— Accident, répéta le criminologiste. Je me demande… »

Il se leva en marmottant :

« J'aurais dû deviner plus tôt. La petite m'avait presque dit…

— Pardon, monsieur ?

— Rien. Une fois de plus, je vous offre mes condoléances pour les morts de votre fille et de votre père. »

Il serra les mains des époux Tucker et sortit du cottage en pensant :

« J'ai été stupide, très stupide ! J'ai tout examiné à l'envers !

— Hé, m'sieur ! »

On l'appelait tout bas. Poirot se retourna et aperçut Marylin qui se cachait dans l'ombre du mur ; elle lui fit signe d'approcher et dit tout bas :

« Maman ne sait pas tout : c'est pas la dame du cottage qui a donné l'écharpe à Marlène. L'avait achetée à Torquay, avec du rouge et de l'odeur... et aussi un pot de crème pour la peau, dont elle avait lu une annonce. Maman l'sait pas, ricana-t-elle. Marlène cachait tout ça dans son tiroir sous ses vestes de laine. Quand c'est qu'elle allait au ciné, elle entrait dans les « ouatères » à l'arrêt de l'autobus et se fardait. Maman l'a jamais su !

— N'a-t-elle rien trouvé après la mort de votre sœur ? »

Marylin secoua sa tête frisée.

« Non, c'est moi qui ai tout mis dans mon tiroir...

— Vous me paraissez fort adroite », déclara Poirot.

La petite sourit d'un air penaud.

« Miss Bird dit pourtant que je serai jamais reçue à l'examen de grammaire.

— La grammaire ne mène pas à tout. Comment Marlène se procurait-elle l'argent nécessaire à ces achats ? »

Marylin parut examiner une gouttière avec attention et murmura :

« J'sais pas...

— Je crois que si, répondit Poirot en tirant deux pièces de monnaie d'une poche. Je sais qu'on fabrique un nouveau rouge à lèvres très joli, appelé « Le rêve carminé ».

— Doit être épatant », dit la petite en avançant la main et en murmurant : « Marlène espionnait un peu et voyait des choses. Si elle promettait de se taire, on lui faisait un cadeau. Vous comprenez ?

— Je comprends », répondit Poirot en lâchant les pièces.

Puis il fit un signe d'adieu à Marylin et s'éloigna en répétant : « Je comprends », mais avec une intensité accrue.

Tant de morceaux de puzzle s'ajustaient… pas tous… mais il se sentait sur la bonne voie. Si seulement il avait compris dès le premier jour que la piste s'allongeait devant lui et qu'elle était facile à suivre ! Sa première conversation avec Mrs. Oliver, quelques mots désinvoltes prononcés par Michaël Weyman, la conversation significative qu'il avait eue sur le quai avec le vieux Bardle, une phrase limpide de Miss Brewis, l'arrivée d'Etienne de Sousa, étaient autant de jalons.

Le bureau de poste du village était flanqué d'une cabine téléphonique publique. Poirot y entra, composa un numéro et entra en rapport avec l'inspecteur Bland.

« Comment, Mr. Poirot ? Où êtes-vous ?

— A Nassecombe.

— Mais vous étiez à Londres hier après-midi !

— Il ne faut que trois heures et demie pour venir ici par un train rapide. J'ai une question à vous poser…

— Laquelle ?

— Quel était le genre du yacht appartenant à Etienne de Sousa ?

— Je crois deviner ce à quoi vous pensez… mais je puis vous assurer qu'il ne s'agissait pas de contrebande. Il n'y avait ni fausses cloisons, ni espaces cachés, car nous les eussions trouvés et l'on ne pouvait dissimuler un cadavre nulle part.

— Vous vous trompez, mon cher, ce n'est pas à cela que je pensais. Je désire savoir si le yacht était grand ou petit ?

— Oh ! très élégant ; il a dû coûter une fortune ; tout neuf, peint de frais et luxueusement aménagé.

— C'est parfait ! »

Poirot semblait tellement content que le policier fut très étonné et demanda :

« Que voulez-vous dire ?

— Etienne de Sousa est donc fort riche, ce qui est très significatif, mon bon ami, et cadre avec ma dernière idée.

— Vous en avez une ?

— Oui… enfin ! J'ai été très bête jusqu'à présent.

— Ce qui signifie que nous l'avons tous été ?

— Non. Moi surtout. J'avais eu la chance de me trouver en face d'une piste parfaitement nette et je ne l'ai pas vue.

— Tandis que maintenant, vous avez une intuition sérieuse ?

— Je le crois.

— Alors, écoutez… »

Mais Poirot avait raccroché. Après avoir fouillé ses poches pour y prendre de la monnaie, il appela le numéro de Mrs. Oliver à Londres.

« Cependant, se hâta-t-il de dire quand on lui eut répondu, ne dérangez pas cette dame si elle travaille. »

Il se souvenait que la romancière lui avait un jour âprement reproché de l'avoir interrompue en pleine inspiration, ce qui allait priver le monde d'un fascinant mystère, centré sur une ancienne veste au tricot. Toutefois, le central téléphonique ne parut pas comprendre ses scrupules.

« Voyons, interrogea l'employé, voulez-vous la communication, oui ou non ?

— Je la veux », répondit Poirot, qui sacrifia le génie créateur de sa vieille amie à sa propre impatience. Il fut, du reste, soulagé lorsqu'elle répondit et coupa court à ses excuses.

« Je suis ravie que vous m'appeliez. J'allais sortir pour faire une conférence sur *Comment j'écris mes romans*. Mais je vais pouvoir dire à ma secrétaire de téléphoner que je suis inopinément retenue.

— Mais je ne veux pas vous empêcher…

— Vous n'empêchez rien, affirma gaiement Mrs. Oliver. Je me serais rendue absolument ridicule ! Comment peut-on décrire la manière dont on fait un livre ? Il faut avoir une idée, puis se forcer à s'asseoir et à la transcrire sur le papier. Voilà tout. Pour l'expliquer, il ne m'eût pas fallu plus de trois minutes, la conférence aurait pris fin et les gens n'auraient pas été contents. Je ne puis arriver à comprendre la rage du public à vouloir *faire parler* les auteurs ! Leur rôle consiste à écrire, non à parler !

— Pourtant, c'est sur le même sujet que je voulais vous interroger.

— Interrogez, mais je ne saurai, sans doute, que répondre. Un instant ! J'avais mis un chapeau grotesque pour cette conférence ; il me gratte le front et il faut que je l'enlève… »

Il y eut un silence, puis la romancière reprit d'un ton de soulagement :

« Ne trouvez-vous pas que, de nos jours, les chapeaux sont uniquement symboliques ? On n'en met plus pour des raisons d'utilité : avoir chaud à la tête, se protéger du soleil, se dissimuler aux yeux des personnes que l'on ne veut pas rencontrer… Je vous demande pardon, avez-vous parlé ?

— J'ai simplement poussé une exclamation. C'est inouï, vous me donnez toujours des idées comme le faisait autrefois mon ami Hastings, que je n'ai plus vu depuis longtemps. Vous venez de me fournir un indice pour un des aspects du problème. Mais laissons cela et permettez-moi de vous poser une question : Connaissez-vous un savant atomiste ?

— Si j'en connais un ? répéta Mrs. Oliver d'un ton étonné. Je ne sais trop. C'est possible, car je connais des professeurs, mais j'ignore toujours de quoi ils s'occupent…

— Pourtant, un des suspects de votre course à l'assassin était un savant atomiste ?

— Oh ! je voulais simplement me montrer à la page… Vous comprenez, à Noël dernier, quand je suis allée acheter des cadeaux pour mes neveux, je n'ai trouvé que des jouets scientifiques. Alors, quand j'ai eu l'idée de la course à l'assassin, j'ai pensé : soyons moderne et prenons un savant atomiste comme suspect numéro un. Si j'avais eu besoin, ensuite, d'employer un jargon technique, j'aurais pu avoir recours à Legge.

— Alec Legge ? Est-il savant atomiste ?

— Oui. Il a étudié à Cardiff ou à Bristol et c'est un chalet de vacances qu'il a loué sur la rivière Helm. Donc, en somme, je connais un atomiste !

— Et c'est probablement de l'avoir rencontré au château de *Nasse* qui vous a suggéré l'idée d'en décrire un ? Mais sa femme n'est pas yougoslave !

— Certes non ! Peggy est aussi anglaise que possible.

— Alors, qui vous a donné l'idée de cette nationalité ?

— Je ne sais vraiment pas... les réfugiés peut-être, ou les étudiants ; toutes ces jeunes étrangères de l'Auberge qui envahissent les bois et parlent mal l'anglais.

— Je vois... Oh ! je vois bien des choses...

— Il est grand temps !

— Pardon ?

— Il est temps que vous commenciez à deviner. Car, jusqu'à présent, continua Mrs. Oliver avec reproche, vous ne semblez pas avoir trouvé quoi que ce soit !

— On ne peut tout faire immédiatement, protesta Poirot. La police a été complètement désorientée.

— Oh ! la police ! répliqua Mrs. Oliver. Si une femme était à la tête de Scotland Yard... »

Reconnaissant la phrase, Poirot s'empressa d'interrompre.

« L'affaire a été complexe, extrêmement complexe. Toutefois, je vous le dis en confidence, j'arrive au but.

— Possible, dit Mrs. Oliver, qui ne parut pas admirative, mais en attendant, il y a eu deux assassinats.

— Trois, corrigea son interlocuteur.

— Trois ? Quel est le troisième ?

— Un vieillard appelé Bardle.

— Je n'en ai pas eu connaissance. Les journaux en parleront-ils ?

— Non, car, jusqu'à présent, on a cru qu'il s'agissait d'un simple accident.

— Ce n'était pas un accident ?

— Non.

— Nommez-moi le coupable. A moins que vous ne puissiez en parler au téléphone ?

— Il y a des choses dont on ne parle pas ainsi…

— Alors, je raccroche, car je ne pourrais supporter l'incertitude !

— Attendez un instant ! Je voulais vous demander autre chose… Qu'était-ce donc ?

— Voilà un signe de vieillesse. Moi aussi, j'oublie des détails…

— Il s'agit d'un détail, en effet, il m'a tourmenté. J'étais dans la remise à bateaux… »

Poirot rappela ses souvenirs. La pile de journaux illustrés où Marlène avait gribouillé dans les marges. Il avait le sentiment d'une lacune… et qu'il lui fallait en parler à Mrs. Oliver.

« Etes-vous toujours là, Mr. Poirot ? interrogea celle-ci, tandis que le téléphoniste demandait une somme supplémentaire.

Lorsqu'il se fut acquitté, Poirot reprit :

« Etes-vous toujours là, madame ?

— Je suis là. Ne gaspillons pas d'argent à nous demander cela l'un à l'autre. Que vouliez-vous dire ?

— Quelque chose de fort important. Vous vous rappelez votre course à l'assassin ?

— Bien entendu… nous n'avons pas parlé d'un autre sujet !

— J'ai commis une grave erreur : je n'ai pas lu le

résumé que vous aviez remis aux concurrents. La gravité du crime m'a paru lui ôter tout intérêt, ce en quoi j'ai eu tort. Vous êtes sensible, madame. L'atmosphère qui vous entoure, les personnes que vous rencontrez, ont une influence sur vous et elle se transmet à vos livres... peut-être pas d'une manière évidente : pourtant, votre fertile cerveau en tire ses inspirations.

— Voilà qui est élégamment exprimé... mais que voulez-vous dire au juste ?

— Ceci : vous en avez toujours su intuitivement, davantage au sujet du premier crime que vous ne l'avez réalisé.

« Maintenant, voici la question que je voulais vous poser, ou plutôt les deux questions ; mais la première est très importante : quand vous avez commencé à poser les jalons de la course à l'assassin, le cadavre devait-il être trouvé dans la remise ?

— Non.

— Où aviez-vous l'intention de le mettre ?

— Dans l'étrange petit pavillon d'été qui est dissimulé dans les rhododendrons, près de la maison. Je jugeais l'endroit parfait. Puis quelqu'un – je ne sais trop qui – a insisté pour qu'on le trouve dans *la Folie*. C'était absurde, car on pouvait y entrer par hasard et le voir sans même avoir suivi la filière. Les gens sont si bêtes ! Bien entendu, je n'ai pu accepter cette idée.

— Alors vous avez coupé la difficulté en deux et accepté le débarcadère ?

— Exactement. Je n'y ai pas vu d'inconvénient majeur, mais j'aurais préféré le petit pavillon.

— Autre chose : vous souvenez-vous de m'avoir dit

que le dernier indice était écrit sur un des journaux illustrés qu'on avait donnés à Marlène pour la distraire ?

— Bien sûr.

— Etait-ce quelque chose dans le genre de *Albert sort avec Foreen. George Porgie embrasse les touristes dans le bois. Peter pince les filles au cinéma* ?

— Grand Dieu ! non, s'écria Mrs. Oliver, scandalisée. Cela n'avait rien d'aussi bête. L'indice était tout à fait net : *Regardez dans le sac à dos du touriste.*

— Epatant ! répondit Poirot. Epatant ! Evidemment, le journal devait disparaître, car il *pouvait* donner une idée à quelqu'un.

— Le sac était par terre auprès du corps, bien entendu, et…

— Je pensais à un autre sac !

— Vous me troublez les idées. Il n'y avait qu'un sac dans mon projet. Ne voulez-vous pas savoir ce qu'il contenait ?

— Du tout », répondit Poirot, qui ajouta poliment : « Je serais enchanté de l'apprendre, mais… »

Mrs. Oliver parut ne pas avoir entendu le dernier mot et reprit avec fierté :

« Je crois que c'était fort ingénieux. Dans le sac de Marlène, qui devait être celui de la femme yougoslave, si vous me suivez…

— Oui, oui, répondit Poirot, qui s'attendait à s'égarer encore dans la brume.

— Il y avait la fiole de poison qui avait servi au châtelain à tuer sa première femme. Vous comprenez, la Yougoslave avait habité le château quand le colonel Blunt avait assassiné sa femme pour en hériter. La jeune nurse avait dérobé la fiole, elle était revenue pour faire chanter le criminel et c'était la raison pour laquelle il l'avait tuée à son tour ! ! ! Est-ce que cela cadre avec vos idées ?

— Pas du tout. Cependant, je vous félicite, madame. Je suis certain que votre plan était si ingénieux que personne n'a gagné le prix.

— Mais si. Très tard, vers sept heures : une vieille dame obstinée, que l'on croyait gâteuse, a compris tous les indices et elle est arrivée triomphante au débarcadère. Bien entendu, la police s'y trouvait, et elle a été la dernière à savoir qu'un crime avait vraiment été commis. On lui a donné le prix. L'affreux jeune homme aux taches de rousseur qui disait que je buvais n'a jamais dépassé le bosquet des hortensias, conclut Mrs. Oliver avec satisfaction.

— Il faudra que vous me racontiez votre plan en détail.

— En réalité, je songe à en faire un livre, car ce serait dommage de ne pas en tirer parti. »

Environ trois ans plus tard, Poirot lut : *La femme perdue dans le bois*, par Ariane Oliver et se demanda pourquoi certains détails et certains personnages lui paraissaient vaguement familiers.

Chapitre 18

Le soleil se couchait lorsque Poirot atteignit le cottage appelé soit *Cottage du Moulin*, soit *Cottage Rose*. Il frappa et la porte s'ouvrit si violemment qu'il recula. Le jeune homme furieux qui parut sur le seuil le dévisagea un instant, puis se mit à rire.

« Holà ! c'est le limier. Entrez, monsieur ! Je fais mes bagages. »

Poirot pénétra dans une pièce assez mal meublée, mais que les objets personnels de Legge encombraient. Des livres, des papiers, des vêtements jonchaient le plancher et il y avait une valise ouverte au milieu.

« Les résidus d'un ménage ! expliqua le jeune homme, Peggy a filé... Vous l'avez sans doute appris...

— Non... »

Alec se remit à rire.

« Je suis content qu'il y ait quelque chose que vous ignoriez ! Oui, elle en a eu assez de notre mariage et va épouser l'architecte.

— J'en suis désolé.

— Pourquoi ?

— Parce que, répondit Poirot en repoussant deux livres, une chemise, et en s'asseyant sur le coin d'un divan, je ne crois pas qu'elle sera aussi heureuse avec lui qu'avec vous.

— Elle n'a pas été heureuse avec moi depuis six mois.

— Six mois ne représentent pas toute une vie ; au contraire, c'est bien court, comparé à une union qui pourrait être réussie.

— Vous parlez comme un prêtre !

— C'est possible. Me permettez-vous d'ajouter que si votre femme n'a pas été heureuse, la faute vous en incombe plus qu'à elle ?

— Elle le croit. Alors, tout a été causé par moi ?

— Pas tout, mais une partie.

— Oh ! allez-y ! je n'ai qu'à me jeter dans la rivière pour en finir. »

Poirot le dévisagea d'un air pensif.

« Je suis satisfait de constater, dit-il, que vos propres ennuis vous inquiètent désormais plus que ceux de l'humanité.

— L'humanité peut aller au diable ! affirma Legge qui ajouta avec amertume : j'ai l'impression de m'être conduit comme un idiot depuis le début.

— Je pense que vous avez surtout été malchanceux.

— Qui est-ce qui vous avait payé pour m'épier ? Etait-ce Peggy ?

— Pourquoi avez-vous une idée semblable ?

— Comme il ne s'est rien produit officiellement, j'en ai conclu que vous étiez venu me surveiller pour une affaire privée.

— Vous êtes dans l'erreur : je ne vous ai jamais surveillé et quand je suis venu dans la région, j'ignorais jusqu'à votre existence.

— Alors, comment savez-vous si je n'ai pas eu de chance, si je me suis conduit comme un idiot ou quoi ?

— Grâce à mes observations et à mes réflexions. Me permettez-vous de vous dire ce que je pense et me répondrez-vous franchement ?

— Vous pouvez parler, mais je ne promets pas d'entrer dans le jeu.

— Je crois, reprit Poirot, que vous avez, il y a quelques années, éprouvé de la sympathie pour un certain parti politique ; vous étiez semblable en cela à beaucoup de jeunes savants mais, dans votre profession, ce genre de sympathies et de tendances est suspect. Je ne pense pas que vous ayez jamais été sérieusement compromis, mais je suppose qu'on a fait pression sur vous pour vous amener à vous engager d'une manière qui ne vous a pas plu. Vous avez essayé de reculer et l'on vous a menacé : quelqu'un vous a donné rendez-vous. Je ne saurai, sans doute, jamais le nom de ce jeune homme qui restera pour moi : *Le garçon à la chemise ornée de tortues.* »

Alec Legge éclata de rire.

« Je suppose que cette chemise n'était qu'une plaisanterie ; mais, à l'époque, je n'y ai rien vu de drôle. »

Poirot continua :

« Entre vos inquiétudes sur le sort de l'humanité et vos propres soucis, vous êtes devenu impossible à vivre pour votre femme. Vous ne vous étiez pas confié à elle, ce qui était grand dommage, car je la crois loyale ; si elle avait compris à quel point vous étiez malheureux et affolé, elle vous eût soutenu. Au lieu de cela, elle vous a comparé d'une manière qui vous était peu favorable avec un ancien camarade, Michaël Weyman... »

Poirot se leva :

« Je vous conseille d'achever rapidement vos bagages, de suivre votre femme à Londres, d'implorer son pardon et de lui exposer tout ce que vous avez eu à craindre.

— Voilà donc votre conseil ! Mais en quoi cela vous regarde-t-il ?

— En rien, répondit Poirot qui se dirigea vers la porte. Toutefois, j'ai toujours raison ! »

Un petit silence suivit... puis Alec éclata de rire de nouveau :

« Je crois que je vais suivre votre avis... Le divorce coûte très cher. De plus, quand on a épousé la femme qui vous plaisait, il est humiliant de ne pas pouvoir la retenir. Je vais aller à l'appartement de Peggy, dans Chelsea, et si j'y rencontre Michaël, je m'emparerai de sa cravate tricotée à la main et l'étranglerai... Cela me sera tout à fait agréable ! »

Son visage s'éclaira soudain d'un sourire charmant et il ajouta :

« Excusez mon affreux caractère... et mille fois merci ! »

Il assena sur l'épaule du criminologiste une claque si énergique que Poirot faillit tomber. Il estima en s'en allant que l'amitié d'Alec Legge était plus vive que son animosité.

« Et maintenant, se dit-il en quittant le cottage, où vais-je aller ? »

Chapitre 19

Le chef *constable* et l'inspecteur Bland levèrent vivement la tête quand on introduisit Poirot dans le bureau où ils étaient réunis. Le major n'était pas de bonne humeur et il avait fallu toute l'insistance de Bland pour qu'il s'excusât auprès des amis chez lesquels il devait dîner ce soir-là.

« Je sais, je sais, avait-il dit sèchement. Peut-être ce petit Belge était-il un vrai magicien autrefois… mais il a vieilli ! Quel âge a-t-il ? »

Bland ne répondit pas ; d'ailleurs, cela lui eût été impossible, car Poirot se montrait toujours réticent au sujet de son âge.

« En tout cas, dit l'inspecteur au bout d'un instant, il était sur place… et nous n'aboutissons pas. »

Le chef *constable* se moucha avec irritation.

« Je sais, je sais. Je commence à vouloir suivre le conseil de Mrs. Masterton et je ferais venir des chiens policiers si je savais où les lancer.

— Ils ne peuvent pas suivre une piste dans l'eau.

— Je sais quelle a toujours été votre conviction, Bland, et je commence à la partager… Cependant, quel pouvait être le motif ?

— Il existait peut-être dans les îles.

— Vous supposez que Lady Stubbs savait quelque

chose de sérieux contre Etienne de Sousa ? Ce n'est pas impossible vu sa mentalité. Tout le monde s'accorde à dire qu'elle était simplette. Elle pouvait raconter ce qu'elle savait à n'importe qui, dans n'importe quelle condition. Est-ce ainsi que vous voyez la situation ?

— Si l'on veut.

— Mais, s'il en était ainsi, le cousin a attendu longtemps avant de franchir la mer et de prendre des mesures à cet égard.

— Il ne savait peut-être pas exactement ce que sa cousine était devenue. Il raconte qu'il a lu un article dans une revue illustrée où l'on décrivait le château de *Nasse* et sa belle châtelaine. Peut-être est-ce exact et ignorait-il qui elle avait épousé.

— Alors, l'ayant appris, il est arrivé en yacht à toute vitesse afin de l'assassiner ? Cela me semble un peu invraisemblable, Bland.

— Cependant, monsieur, ce n'est pas impossible.

— Mais que pouvait savoir Lady Stubbs ?

— Souvenez-vous qu'elle a dit à son mari : *Il tue les gens !*

— Elle avait quinze ans à l'époque ! Et n'avait sans doute aucune preuve. Il pouvait se contenter d'en rire !

— Nous ignorons les détails, insista l'inspecteur. Mais vous savez qu'on arrive, une fois le coupable connu, à trouver les preuves.

— Hum ! Nous avons pris discrètement des renseignements sur Sousa et cela n'a rien donné.

— C'est bien pourquoi, monsieur, le vieux Belge peut avoir déniché quelque chose… Il était à *Nasse*, ce qui est précieux. Lady Stubbs lui a parlé et a pu dire, sans y prendre garde, des phrases qu'il a rassemblées. En tout cas, il a passé, aujourd'hui, plusieurs heures à Nassecombe.

— D'où il vous a téléphoné pour vous demander quel genre de yacht possédait Etienne de Sousa ?

— La première fois. Ensuite, il m'a rappelé pour prendre rendez-vous. »

Le chef *constable* regarda sa montre.

« S'il n'est pas ici dans cinq minutes... »

Au même instant, Hercule Poirot fut introduit.

Sa mise n'était pas aussi soignée qu'à l'habitude : sa moustache, mouillée par le brouillard, pendait, ses souliers vernis étaient couverts de boue et ses cheveux étaient en désordre.

« Ah ! vous voici, Mr. Poirot, dit le major en lui serrant la main. Nous vous attendions avec impatience ! »

Son ton était quelque peu ironique, mais Poirot ne se laissa pas démonter et déclara :

« Je ne comprends pas comment je n'ai pas deviné la vérité plus tôt. »

Le chef *constable* accueillit assez froidement cette ouverture.

« Devons-nous comprendre que vous apercevez cette vérité maintenant ?

— Oui ; il reste des détails à compléter, mais le fond est clair.

— Il nous faut des preuves, répliqua sèchement le major. En avez-vous ?

— Je peux vous dire où vous les trouverez.

— Quelles preuves ? » demanda Bland.

Poirot répondit par une autre question :

« Etienne de Sousa a quitté l'Angleterre, je présume ?

— Oui, il y a quinze jours, dit l'inspecteur d'un ton amer. Il ne sera pas facile de remettre la main sur lui !

— On peut lui faire comprendre…

— Lui faire comprendre ? Vous n'avez donc pas les preuves suffisantes pour que nous demandions son extradition ?

— Il n'est pas question d'extradition. Quand il connaîtra les faits… »

Le chef *constable*, s'écria avec irritation :

« Mais *quels faits* ? De quoi parlez-vous ?

— De ceci : Etienne de Sousa est arrivé dans un yacht de grand luxe qui prouve que sa famille est riche ; puis, le vieux Bardle était le grand-père de Marlène Tucker (je ne l'ai appris qu'aujourd'hui) ; il y a également le fait que Lady Stubbs affectionnait les grands chapeaux exotiques ; un autre fait a trait à ce que Mrs. Oliver, en dépit de son imagination débordante, est fort psychologue sans le savoir ; enfin, Marlène Tucker avait des fards et du parfum cachés au fond d'un tiroir et Miss Brewis maintient que Lady Stubbs l'a priée de porter à goûter à la petite au débarcadère.

— Vous appelez cela des *faits* ? s'écria le chef constable, éberlué. Mais il n'y a là rien de nouveau !

— Vous préférez… le cadavre de Lady Stubbs ? »

Cette fois, ce fut l'inspecteur qui sursauta :

« Vous l'avez trouvé ?

— Pas précisément… *mais je sais où il est caché.* Vous irez et, quand vous l'aurez exhumé, vous aurez toutes les preuves que vous souhaitez… car une seule personne a pu l'y enterrer.

— Qui cela ? »

Poirot sourit.

« Celui qui agit fréquemment ainsi, le mari. Sir George Stubbs a tué sa femme.

— Mais c'est impossible. Nous le *savons*.

— Pas du tout. Ecoutez et je vais tout vous expliquer. »

Chapitre 20

Hercule Poirot s'arrêta un instant devant les grandes grilles en fer forgé et regarda l'avenue. Les dernière feuilles mortes tombaient des arbres et les cyclamens étaient fanés. Il soupira, se tourna et frappa doucement à la porte du petit pavillon blanc.

Au bout d'un instant, il entendit des pas lents et Mrs. Folliat lui ouvrit. Cette fois, il ne fut pas surpris de constater combien elle paraissait vieille et frêle.

« Encore vous, monsieur ?

— Puis-je entrer ?

— Certainement. »

Il la suivit. Elle lui offrit du thé qu'il refusa, puis lui demanda d'une voix calme :

« Pourquoi êtes-vous venu me voir ?

— Je pense que vous le devinez, madame... »

Elle ne répondit pas directement.

« Je suis très fatiguée...

— Je le sais ! Il y a eu trois morts : Hattie Stubbs, Marlène Tucker, le vieux Bardle. »

Mrs. Folliat dit vivement :

« Bardle ? Il est mort accidentellement en tombant du quai ; il était très âgé, presque aveugle et avait bu à l'auberge.

— Il ne s'agit pas d'accident : il en savait trop long.

— A quel sujet ?

— Il a reconnu un visage, une façon de marcher, une intonation... ou quelque chose du même genre. J'avais causé avec lui le jour de mon arrivée dans le pays et il m'a parlé de toute la famille Folliat : de votre beau-père, de votre mari, de vos deux fils tués à la guerre. Toutefois... *ils n'ont pas été tués tous les deux*, n'est-ce pas ? Votre fils Henry a été coulé avec son bateau, mais le cadet, James, lui, a déserté. Tout d'abord, il a sans doute été déclaré : *Manquant, présumé tué* et, plus tard, vous avez répandu le bruit qu'il avait, vraiment, été tué. Personne ne s'est élevé contre votre assertion. Pourquoi l'eût-on fait ? »

Poirot s'interrompit, puis continua :

« Ne croyez pas que je manque de sympathie pour vous, madame. Votre vie a été pénible, je le sais. Vous n'aviez guère d'illusions au sujet de votre second fils... mais c'était votre enfant et vous l'aimiez. Vous avez tout essayé pour lui préparer une nouvelle existence. Vous aviez la garde d'une jeune fille peu équilibrée, mais très riche... car elle était riche ! Vous avez laissé entendre que ses parents avaient perdu toute leur fortune, qu'elle était pauvre et que vous lui aviez conseillé d'épouser un homme beaucoup plus âgé qu'elle, mais ayant énormément d'argent... Pour quelle raison eût-on mis cette explication en doute ? Là encore, cela ne regardait personne. Les parents de la jeune fille et sa famille proche étaient morts. Des notaires de Paris ont été chargés de régler la succession par des collègues de San Miguel. En se mariant, l'héritière avait le droit de gérer ses biens. Ainsi que vous me l'avez dit, elle était docile, affectueuse, aisément influencée. Elle a signé tous les papiers que son mari lui a soumis. Ses valeurs ont dû être changées et revendues plusieurs fois, jusqu'à ce que le résultat financier désiré soit obtenu : Sir George Stubbs, nouvelle incarnation de votre fils, est devenu riche pendant que sa femme était ruinée. Ce n'est pas un délit d'assumer un titre de noblesse si l'on ne s'en sert pas pour escroquer le voisin. Or, un titre donne confiance et prouve au moins la richesse, à défaut de la lignée ancestrale.

« Alors, l'opulent Sir George Stubbs, vieilli, changé, ayant laissé pousser sa barbe, acheta le château de Nasse et revint vivre chez lui ; il n'y avait plus habité depuis son enfance et, grâce aux vides causés par la guerre, personne ne devait plus le reconnaître. Mais il y avait le vieux Bardle... Il se tut... Cependant, il ne put s'empêcher de faire une petite plaisanterie, le jour où il me déclara qu'*il y aurait toujours des Folliat à* Nasse.

« Donc, tout avait bien tourné... pensiez-vous, car je suis persuadé que votre projet s'était arrêté là... Votre fils avait de l'argent, sa vieille demeure ancestrale et, bien que sa femme ne fût pas absolument normale, elle était ravissante, douce, et vous espériez qu'il serait bon pour elle et qu'elle serait heureuse. »

La vieille dame murmura :

« Je pensais qu'il en serait ainsi... Je comptais veiller sur Hattie et je n'avais jamais prévu...

— Vous ignoriez – et votre fils s'est bien gardé de vous l'apprendre – qu'au moment du mariage, *il devenait bigame* ! Oh ! oui ! Nous avons vérifié ce que nous pressentions : votre fils avait épousé, à Trieste, une fille des bas-fonds criminels, parmi lesquels il s'était caché après sa désertion. Elle n'avait pas plus l'intention de le quitter qu'il ne comptait l'abandonner. Mais il a accepté le simulacre de mariage avec Hattie afin de se procurer sa fortune, tout en sachant ce qu'il ferait par la suite.

— Oh ! non, non, je ne puis croire cela ! C'est cette femme, cette affreuse créature qui… »

Poirot continua inexorablement :

« Il avait *prémédité le crime.* Hattie n'avait plus de famille, très peu d'amis. Dès leur arrivée en Angleterre, il l'a amenée ici. Le premier soir, les domestiques l'ont à peine entrevue… et la femme *qu'ils ont vue le lendemain n'était pas Hattie.* C'était l'Italienne grimée pour ressembler à Hattie et qui imitait ses gestes… Tout aurait pu se dérouler comme prévu : la fausse Hattie aurait continué à se faire passer pour l'autre, mais il est probable que son intelligence se serait éveillée, à la suite d'un pseudo-traitement de choc. Miss Brewis, la secrétaire, n'avait pas tardé à s'apercevoir que Lady Stubbs était loin d'être atteinte de débilité mentale.

« Mais un incident imprévisible se produisit : un cousin de la véritable Hattie lui écrivit qu'il allait venir en Angleterre, sur son yacht… Bien qu'il n'eût pas revu sa parente depuis plusieurs années, il était peu probable qu'il se laîssât prendre à la supercherie…

« Ce qui est curieux, déclara Poirot, c'est que j'ai pensé un instant qu'Etienne de Sousa pouvait être un imposteur, mais la vérité ne m'est pas apparue tout de suite.

« Il pouvait y avoir divers moyens d'éviter le danger :

Lady Stubbs pouvait tomber malade et ne pas recevoir son cousin ; cependant, si ce dernier prolongeait son séjour, l'entrevue finirait par être impossible à éviter... Puis, une autre complication s'était produite : le vieux Bardle, assez bavard, causait avec sa petite-fille ; elle était seule à l'écouter, tout en le déclarant « piqué ». Toutefois, quand il lui avait raconté qu'il avait vu un cadavre de femme dans le bois et que *Sir George Stubbs n'était autre que Mr. James*, Marlène avait été frappée et y avait fait allusion devant ledit James. Ce faisant, elle signait son arrêt de mort, car ni lui, ni sa femme ne pouvait laisser courir ces bruits. Je pense qu'on a donné un peu d'argent à Marlène pour la faire taire, tout en mûrissant un plan.

« Celui-ci fut très soigneusement établi : le ménage savait à quelle date Etienne de Sousa arriverait à Helmmouth ; elle coïncidait avec le jour choisi pour la kermesse. Stubbs et sa femme se sont arrangés de manière que Marlène soit tuée et que Lady Stubbs « dispa « rût » dans des conditions qui feraient porter les soupçons sur le voyageur. Dans ce but, on a lancé les propos le décrivant comme un méchant homme qui « tuait les « gens ». Lady Stubbs devait disparaître complètement et « Hattie » reprendre sa véritable identité. Il lui suffisait de jouer les deux rôles pendant environ vingt-quatre heures, ce qui, avec l'aide de son mari, était facile. Le jour de mon arrivée « Lady Stubbs » était, disait-on, restée dans sa chambre jusqu'à l'heure du thé et, seul, Sir George l'y avait vue.

« En réalité, elle était partie, avait pris un car ou un train pour Exeter et en était revenue en compagnie d'une étudiante-touriste à laquelle elle avait raconté que l'amie avec laquelle elle voyageait avait été empoisonnée par un pâté de veau et jambon. Arrivée à l'Auberge de jeunesse, elle a retenu sa place, puis est sortie pour « voir les environs ». A l'heure du thé, Lady Stubbs était dans le salon et, tout de suite après le dîner, elle est montée se coucher... mais Miss Brewis l'a vue quitter le château. Elle a passé la nuit à l'auberge, s'est levée de grand matin et a repris son rôle à *Nasse* pour le petit déjeuner. Puis, elle est remontée dans sa chambre « avec une migraine » et a fait semblant d'entrer dans le parc et d'être chassée par Stubbs : celui-ci, penché à la fenêtre de sa femme, se retournait comme s'il lui parlait à l'intérieur de la pièce... Les changements de costumes n'ont pas été difficiles : un short et une chemisette étaient couverts par les toilettes et fanfreluches qu'affectionnait Lady Stubbs, qui dissimulait son maquillage pâle dans l'ombre d'un immense chapeau... Tandis que l'Italienne, coiffée d'un madras, le teint bronzé, avait le visage encadré de boucles rousses. Personne n'aurait imaginé qu'il s'agissait d'une seule et même femme.

« Et ainsi, le drame final fut-il mis en scène : juste avant quatre heures, Lady Stubbs donna l'ordre à Miss Brewis de porter un plateau à Marlène, parce qu'elle craignait que la secrétaire n'y pensât d'elle-même et n'apparût sur le lieu du crime au moment crucial. Peut-être prit-elle un malin plaisir à l'y envoyer peu avant... Puis, la tente de la diseuse de bonne aventure étant vide, elle y est entrée, est sortie par le fond pour aller, dans le petit pavillon d'été, chercher le sac à dos où elle mettait son changement de costume. Se glissant jusqu'au débarcadère, elle a appelé Marlène qui l'a fait entrer, et l'a étranglée sans coup férir. Elle a jeté son grand chapeau dans la rivière, a emballé sa robe mauve et ses souliers à hauts talons dans le sac, modifié son maquillage... puis la jeune étudiante italienne est venue retrouver sa camarade hollandaise à la kermesse et toutes deux ont pris l'autocar comme convenu. J'ignore où est Lady Stubbs, mais sans doute là où des compatriotes peuvent lui fournir les papiers nécessaires... Du reste, ce n'est pas une Italienne que cherche la police, mais Hattie Stubbs, anormale, assez sotte et créole.

« Seulement, ainsi que vous ne le savez que trop bien, Hattie est morte, madame. Vous m'avez révélé cela dans le salon, le jour de la kermesse. La mort de Marlène vous avait porté un coup terrible, car vous n'aviez pas la moindre idée de ce qui se tramait. Toutefois, j'ai été trop obtus pour le comprendre sur l'heure, quand vous parliez de « Hattie », il s'agissait de deux personnes différentes : l'une était une femme que vous détestiez et « dont il ne fallait pas croire un mot », l'autre une enfant dont vous parliez au passé avec une tendre affection. Je crois, madame, que vous aimiez beaucoup la malheureuse Hattie... »

Un long silence tomba... Mrs. Folliat était immobile sur sa chaise ; elle finit par dire d'un ton glacial :

« Votre récit est absolument invraisemblable, monsieur. Je crois vraiment que vous êtes fou ! Vous avez imaginé tout cela sans la moindre preuve... »

Poirot s'approcha d'une des fenêtres, l'ouvrit et dit :

« Ecoutez, madame... Qu'entendez-vous ?

— Je suis un peu sourde… Que devrais-je entendre ?

— Les coups d'un levier… On enlève le sol en béton de *la Folie*. Endroit parfait pour cacher un corps, surtout quand un arbre y a été déraciné et que la terre y est meuble… Un peu plus tard, pour ne rien risquer, on y fait couler du béton sur lequel on bâtit… »

Il ajouta avec calme :

« La folie de Sir George, propriétaire du château de *Nasse*. »

Mrs. Folliat frissonna et Poirot continua :

« Le site est merveilleux et ne contient qu'une seule chose affreuse : la mentalité de celui qui l'habite…

— Je sais, répondit-elle d'une voix rauque. Je l'ai toujours su… Il me faisait peur quand il était enfant… sans pitié… et sans conscience… mais c'était mon fils et je l'aimais… j'aurais dû le dénoncer après la mort d'Hattie… mais pouvais-je faire cela, moi, sa mère ? Puis, mon silence a causé la mort de la malheureuse Marlène… et aussi celle du brave Bardle… Où se fût-il arrêté ?

— Un assassin ne s'arrête jamais ! » répondit Poirot.

Mrs. Folliat courba la tête et se couvrit les yeux de ses mains… Puis, cette femme de race fière se redressa, regarda son interlocuteur en face et lui dit d'un ton poli et froid :

« Merci, monsieur, d'être venu vous-même m'exposer tout cela… Voulez-vous avoir l'obligeance de me quitter ? Il y a des cas où il faut être seule… »

Table